講談社文庫

ミラクル・ファミリー

柏葉幸子

JN283664

講談社

ミラクル・ファミリー　目次

ミラクル・ファミリー

たぬき親父

うちのオヤジはすこしかわっている。

外見は、どこにでもいる中年男だ。後退しはじめた髪、ぼってりしたおなか、いつもグレーの背広。休みの日は、つきあいゴルフか、パチンコと決まっている。会社人間でもないし、マイホームパパでもない。その中間をぶらついている。

中学二年のおれと、小学六年の妹の由美《ゆみ》。今のおれたちには、オヤジはすこしけむったい。とくにおれは、オヤジとどうつきあったらいいかわからない。なるべく、近寄らないでいるのが楽だと思っている。ふつうのオヤジなら、自分が敬遠されていることに気がついてもよさそうなものだ。なのに今日、オヤジは、おれの部屋にすわりこんでしまった。

「期末試験の最中なんだ」

おれの声は、とんがっているはずだ。なのに、

「まあまあ」

と、オヤジはあいまいなほほえみをうかべて、

「野球がなくなると夜がたいくつだ。マンガでも貸してくれ」

という。

「いいよ」

おれはどうせすぐに出ていくもんだと思って、明日の試験のために、日本史の教科書にかがみこんだ。ところが、二十分たってもオヤジは出ていかない。あぐらをかいて、おれの部屋でマンガを読みだしたんだ。

おれだって、そんなにオヤジを邪険《じゃけん》にあつかいたいわけじゃない。でも、この家でのオヤジの居場所が、おれの背中のうしろだけというわけでもない。

「オヤジ、いけよ」

おれは、ノートをめくりながらそういった。

「じゃまか？」

「じゃまじゃないけど、人がいるっていうだけで、おちつかないんだ」

「そうか。わかった」

わかったというものの、オヤジは立ちあがろうとしない。これは、もっときつくいう必要がありそうだ。おれは背中をむけたままでいうのは、あきらめた。ぐるりとふりむいて、そして、びっくりしてしまった。

オヤジが泣いていた。マンガを見て、泣いている。正直な話、オヤジが泣くところをはじめて見たように思う。めがねをずりあげて、手のひらで涙をぬぐっていた。おれは困ってしまった。少々はでなアクションでふりむいた手前、なにもいわないで、このまま机へもどるわけにもいかない。かといって、こんなとき、なんていえばいいんだ。笑いとばそうにも、あまり意外なことなので、顔がひきつってしまう。

「なにを見てるんだ?」

ぎごちなくかがみこむと、オヤジは、やっと気がついたようすで、てれくさそうにマンガをさしだした。なんと、おれのオヤジは、『うる星《せい》やつら』を見て泣いたというわけだ。

「泣くほどおもしろいのか？」

おれはあきれてしまった。そりゃあ、最後はおれだってジンときた。でも、こんなドタバタしたマンガで泣けるもんだろうか。

よほど、あきれ顔でオヤジを見ていたらしい。オヤジは、

「おまえは、知らないんだものなあ」

と、おれにいう。そして、またマンガをひらく。どんなところで泣いているのかと見れば、人間の女の子に恋をしたきつねが、人間に化けて町へやってくるというあたりだ。おれはいすからおりて、オヤジのとなりにすわりこんでいた。

「なにを知らないんだ？」

おれには、このマンガとオヤジの涙がどうしてもつながらない。

「昔は、人間と動物がとても近く暮らしていたということさ。そういえば、おまえは昔話とかおとぎ話とか、きらいな子だったな」

オヤジはやっと、マンガからおれへ目をうつした。

「昔々、だったとサ、なんて、どこがおもしろいんだよ」

おれは立ちあがると、いすへもどった。

「父さんだって、桃太郎やシンデレラがほんとうの話だとは思ってないさ。でも、父さんのいなかには、ほんとうにあったことがお話として伝わっているものもあるんだ」

そう聞くと、おれは、オヤジのいなかの遠野《とおの》なら、そんなこともあるのかもしれないと思った。ここ二年ほどクラブがいそがしくて、遠野へは、いっていない。魔法をかけられて、一日中ねむっているような町。あの町なら、きつねが人間に化けて化粧して歩くのかもしれない。

「おまえは、遠野のばあちゃんから、あの話を聞いたことがないだろう。由美なら聞いているかな。いや、ばあちゃんのことだ。あの話はしてないんだろうな」

オヤジは遠くを見ながら、ゆっくりとうなずいた。そして、マンガを積みあげだした。

やっと、おれの部屋から出ていくところらしい。ところが、おれはもう、勉強をつづける気力がなくなっていた。

「あの話って、どんな話さ？」

「だから、人間と動物が、とても近く暮らしていたって話さ」

「どんなふうにだよ」

「おまえには、とても信じられないよ」

「だから昔話なんだろう」

「昔話っていっても、おれが子どものころの話だ」

「それじゃ、昔っていうほどでもないじゃないか」

「聞きたいか？」

オヤジはそういいながら、いいのかというように、机へあごをしゃくる。

「いいよ。そろそろひと休みしようかと思ってたから」

おれがそういうと、オヤジは、とてもうれしそうににっこりした。

「おまえも、遠野のばあちゃんがひとりっ子だっていうのは知ってるだろ。ということはだ、婿《むこ》とりだったわけだ。ばあちゃんが年ごろになると、婿選びがはじまった。ばあちゃんは、縁談が降るほどあったといってるがな、親戚《しんせき》の年寄りから聞いた話では、あのきかん気がたたって、少なかったそうだ」

オヤジは、にやりとした。おれも、にやりとした。遠野のばあちゃんは、野良仕事をしているわりに色は白い。目鼻だちもくっきりしている。でも、性格はとてもきつい。遠野へ遊びにいって、ばあちゃんに蔵にほうりこまれなかったことは、一度もない。泣こうがさけぼうが、夕飯だって、平気で抜かれてしまう。あのばあちゃんの婿さんなんて、そう簡単に見つかるはずがない。

「さがしてさがして、やっと見つかったのが、おれの親父というわけだ。親父は、となり町の造り酒屋の次男だった。ひょろひょろしたやさ男で、みんなてっきり、ばあちゃんがことわると思ったそうだ」

おれだってそう思ったろう。ばあちゃんは、今でもすもうやプロレスやアメフトのファンだ。力持ちでなきゃ男じゃないって思ってる。

「ところが、ばあちゃんは、この縁談をのがすとあとがないと思ったのか、よろしくおねがいしますと頭をさげた。親父も腕のいい杜氏《とうじ》だったから、一年中ばあちゃんといっしょにいるわけでもなかろうと、承知したわけだ」

「杜氏って？」

「酒を造る職人さ。親父は、独身のころから、関西のほうへ酒造りで出稼ぎにいっていたそうだ。結婚しても、杜氏の仕事はつづけていた。おれが生まれるまでは、きちんと春になると帰ってきていたのに、ある年から帰ってこなくなった。はやい話、おれたちは捨てられたんだな」

「ばあちゃん、おこったんだろうな」

「心の中は、荒れくるうようだったろうよ。でも、あのばあちゃんだぞ。今だって、あの勝ち気だ。人前では、平気な顔をしていたそうだ。泣き顔だって、人に見せたことないはずだ」

おれは、ばあちゃんに同情してしまった。

「でも親父は、三年ほど帰ってこなかったが、四年目の夏に帰ってきたんだ。それから毎年、夏にはおみやげを山のように持って、帰ってきてた。そして、末っ子のおれが、大学に入った年の夏に死んだんだ」

「ふーん。じいちゃんの話、はじめて聞いたな。でも、それと、動物がどう関係するんだ？」

「あわてるな。話はここからだ」

オヤジは、急に声をひそめた。

「おれが小学校へ入った年だ。いつものように夏に帰ってきていた親父が、わしはほんまは、京都の山にすむたぬきなんやでって、おれをひざに抱きながらささやいたんだ。おまえたちのほんとうの父親は、おまえたちを捨てたことをくやみながら、京都で死んだ。それを聞いたわしは、おまえたちの父親も、おまえたちもかわいそうになった。それで、一年に一度だけ、人間に化けて、はるばるこの遠野まで、やってきているんだって、みょうな関西弁でいうんだ」

「オヤジ、そんな話を信じたのかよ」

おれは、ぷっと吹きだしてしまった。

「信じたさ。すぐ、兄貴にきいた」

「おじちゃん、なんていったのさ」

「そういえば、三年ぶりに見た親父は、どこかおかしかったっていうんだ。親父だって思えば親父に見えたけど、どこかちがう人みたいだったって。それに、酒を造っていながら、あんまり飲める人じゃなかったのに、ひさしぶりに会った親父は、大酒飲みになっていたって。でも、たぬきでも、家の中に父親がいるっていうのは、安心するもんでな。おれは、親父が帰ってくるとうれしかったもんさ。だから、おれも兄貴も、親父がたぬきだなんて、口に出したことはなかった。……あぁ、親父が死んでから、ばあちゃんにそのことをきいたことがあるな」

「ばかなことをいってって、笑われたんだろう」

「いいや。あのたぬきは、わたしに惚《ほ》れてかよってたんだよって、すずしい顔してた。おれも兄貴もたぬきに育てられたってわけさ。だから、マンガのきつねと、たぬきの親父がダブってな。つい、泣けてしまったんだ」

オヤジは、目をしばたたかせた。

「そんな話、信じられない」

おれは首をふった。

「だから、おまえには信じられないっていったろう。あっ、そうだ。ちょっと、待ってろ」

オヤジは、ばたばたとおれの部屋を出ていったが、古いアルバムを持ってもどってきた。

「いいか、これがおれが生まれたころの親父だ。やせて、ひょろひょろして、白黒の写真でも色が白いのがわかるだろう。そして、これがおれが高校のころの親父だ。肩もがっしりしてるし、おなかなんかポンとつきでてる。なっ、顔色も真っ黒だろ。これが同じ人間に見えるか」

オヤジは、古い写真をくらべてみせる。見れば見るほど、一枚はたぬきが人間に化けているように見えてくる。

「それに、夏の裏山の祭り。おかしいとは思わないか。あのしっかり者でけちんぼのばあちゃんが、三日間の大盤振《おおばんぶ》る舞《ま》いなんだぞ。たぬき親父の命日に、京風の料理つくって、京都から酒をとどけさせるんだから」

と、オヤジは追いうちをかける。

おれは思わずうなずいてしまった。いなかのお盆は、どこも墓まいりと決まっている。なのに、ばあちゃんちはちがう。墓まいりのかわりに、家の裏山にある明神様の祭りを、にぎやかにする。ばあちゃんも、おばさんも、みんな朝からきれいな着物を着る。いとこたちも、おれたち家族が遠野に里帰りしていればおれたちも、よそゆきを着せられて、親戚やご近所の人たちの接待にとびまわる。明神様はなんの神様なんだってきいたら、たぬきがまつられてるっていってた。子ども心にも、きつねじゃないのかとふしぎに思ったものだ。あのばあちゃんなら、帰ってこなかったじいちゃんにあてつけて、墓まいりより、たぬきのお祭りに夢中になりそうだ。

「おれだって、すっかり信じているわけじゃないさ。でも、こうして話していると、いろいろ思い出して、信じてしまいたくなるのさ。じゃましたな」

オヤジは、おれの肩をポンとたたいて、出ていった。

おれは、しばらくぼんやりしてしまった。やっぱり、オヤジの話は、信じられない。オヤジは、じいちゃんや、ばあちゃんに、からかわれたんだ。おじちゃんも片棒をかついだにちがいない。おれの父さんはたぬきかもしれないと、本気で思っていたらしい小さいころのオヤジがみょうにおかしくて、おれは笑ってしまった。

次の日の試験は、やっぱりメタメタだった。

オヤジがめずらしく早く帰ってきて、夕飯の前に風呂に入った。その間におれは、母さんと由美に、昨日のオヤジの話を聞かせてやることにした。「わしはたぬきなんや」と、じいちゃんにいわれて、目を白黒させていただろうオヤジを、三人で笑ってやろうと思ったのだ。試験がだめだったはらいせをするつもりだった。オヤジにも責任があるとおれは思っていた。

「遠野のじいちゃんのこと、知ってる？」

と、母さんにきいてみた。

「おばあちゃんから聞いたことあるわ。大恋愛でいっしょになったんでしょ。とても仲のいい夫婦だったらしいわよ」

「えーっ」

おれは、昨日のオヤジの話を、母さんにして聞かせた。

「おじいちゃんはもちろん、おばあちゃんも遠野では有名な話上手なのよ。父さんも、その血は受けついでいるみたいね」

母さんは笑いだした。

「だって、あの祭りや写真は？」

「裏山のお祭りは、先祖代々ああいうふうにすることに決まってるらしいわ。写真っていうけど、だれだって十年もたつと別人みたいになるわよ。父さんだって、わたしと結婚したころはガリガリで、髪だってフサフサだったんだから」

そこへ、ポンとつきだしたおなかにバスタオルをまきつけただけのオヤジが、風呂場から出てきた。

「この、たぬきオヤジ！」

おれが思わずそうさけぶと、オヤジはまじめな顔で、

「試験も大事だが、オヤジと遊ぶことも大事だと思う」

といったのだ。

うちのオヤジは、かわっている。

春に会う

マサルは持っていた野球道具を、玄関にほうりなげた。ドアもあけはなしたまま、また外へ走り出ようとして、買い物帰りらしい母さんにぶつかってしまった。そのはずみで、母さんが持っていた、買い物袋がころがった。

「どうしたのよ、そんなにあわてて。あーっ、卵がわれたでしょ！」

母さんは、悲鳴をあげながらも、走り出そうとするマサルのトレーナーをしっかりつかんでいた。

「はなしてよ！」

「だめ！　ここ、そうじするの手伝いなさい」

「それどころじゃないんだ。父さんにいってやるんだ」

「父さんに？　なにいうのよ？」

「うそつきだって、いってやるんだ！」

「いってやるっていっても、父さん、今日、会社よ」

「ちがうんだ。河原にいるんだ。たけしが見たっていった。たしかに、マサルんちのおじさんだって。先週も、その前の日曜日も、河原で見たぞって。このごろ、日曜日にどこかへいこうっていっても、父さんったら、疲れたとか、友達と約束してしまったとかいって、ずっと河原にいたんだぞ！」

マサルは口をつんつんとんがらして、泥だらけのスニーカーを踏み鳴らしていた。

「へんねえ。背広こそ着なかったけど、会社へいくっていってたわよ。書類がどうしたとかいって、一日かかるみたいな話しぶりだったのに……」

かがみこんで、卵のからをひろっていた母さんも、立ちあがった。

「母さんもいっしょに、河原へいこうよ。父さんに、なにをしてるんだっていってやろうよ」

マサルは、母さんの手を引っぱった。なのに、一度立ちあがった母さんは、またしゃがみこんでしまった。

「メダカとりだわ」

母さんは、そうつぶやいたようだった。

「メダカがどうしたのさ。いっしょにいこうよ。母さんだって昨日、しばらく三人で出かけてないわねって、いってたじゃないか。父さん、うそついてたんだぞ。おこんないの？」

「そりゃ、腹がたつわよ。でも、メダカとりじゃね」

母さんは肩をすくめると、卵のからをすっかりひろいあげた。

「どうして、メダカとりじゃ、しょうがないのさ。メダカって、川にいる小さな魚だよね。父さん、釣りしてるの？」

「釣りなんかじゃないわよ。メダカとりって、てぬぐいとか、ハンカチですくうのよ。おもしろくも、楽しくもないわ。あんなの！」

母さんは、フンと鼻を鳴らすと、足音もあらく家へ入っていく。

マサルより、母さんのほうがおこってしまっている。

「いっしょに河原へいかない？」

マサルは、玄関からよびかけた。

「もうすこし待てば、いつもの父さんにもどるわ。待ってなさい」

母さんが、さけびかえしてよこす。

「どうして母さんに、そんなことがわかるのさ」

「よおーく、思い出してみなさい。毎年、いまごろの父さんって、おちつきないんだから。いつもいまごろは、マサルのこともわたしのことも、ほっぽってるでしょ」

母さんが、またさけぶ。母さんの声といっしょに、スルメを焼くにおいがしてきた。

母さんは、ほんとうにおこっている。マサルは、家の中と外を見くらべた。

母さんは、頭に血がのぼったり、いらいらしたりすると、スルメをかむくせがある。スルメをかんでいるうちに、おちつけばいいが、それでもおさまらないと、台風が吹き荒れる。ここは、父さんをおこるより、母さんをなだめたほうがよさそうだ。

四月から六年生になるマサルは、中学は私立へいくつもりだ。そのつもりなのだが、成績がいまひとつなのだ。受験、受験とうるさくいわれているのに、母さんの台風が吹き荒れたら、マサルはたまったものではない。

「そうだっけ？　いつも、いまごろの父さんって、おちつきないかな」

台所へ入ると、スルメを焼いていた母さんは、うなずいた。

「もう何十年も前からね。うそついてでも、メダカとりに出かけたいのよ」

「父さん、メダカとり、好きなんだ？」

「それは、口実。ほんとうはね……」

母さんはそういいかけて、あっと、だまりこんでしまった。

「ほんとうはなんなのさ？　父さん、メダカとりしてるんじゃないの？」

マサルは、母さんをのぞきこんだ。

スルメをさいていた母さんは、さいたスルメをひとつだけ、マサルにくれた。そして、

「ないしょよ。父さんに、ぜったい話しちゃだめだからね」

と、マサルをにらんで、

「父さんさ、初恋の人に会いにいってんの」

といった。

「はぁ？」

マサルは、聞きまちがえたのかと、首をかしげた。

母さんは、台所のいすにすわりこんだ。スルメをかみながら、

「父さんも母さんも、この町で生まれて育ったんだ」

と、窓の外へ目をやる。

「知ってる。小学六年のときと、中学二年のとき、同じクラスだったんだろ」

マサルも、スルメをかみながら、母さんのとなりにすわった。

「そう。ふたりとも、この町が好きなの。友達もたくさんいるし、親類もいるし、ほんとうは、広い庭のある家がほしかったんだけど、この町からはなれたくなくて、庭ないけど、この家を買ったんだ。でも父さんは、心の中で、あの川からはなれたくないって、思ったんじゃないかな」

「川と初恋の人と、どう関係あんのさ?」

マサルには、ちんぷんかんぷんだ。

母さんは、お茶をいれると、まあいいかというように、マサルのほうへ身体《からだ》をかたむけた。

「ふしぎな話なの。マサルは信じないかもしれないけど、しゃべっちゃう。母さんさ、小さいころから、父さんのこと好きだったの。どこがよかったのか、いまだにわかんないんだけどさ、同じクラスになる前だから、ちょうどマサルぐらいのとき。やっぱり、春休みだった。母さん、河原にいる父さんを見つけたの。なにしてるのかなあと思って、母さん、父さんのうしろの堤《つつみ》にすわって父さんのこと見てた。あとでわかったんだけど、父さん、中州《なかす》を見てたのよ」

「中州って?」

「川の真ん中に、草のはえてる小さな島みたいなのあるでしょ。あれ」

マサルが、ああとうなずくと、母さんはまた話しだした。

「父さん、だまって中州を見たままなの。父さんの友達が二、三人通りかかって、なにしてるんだってきいたのよ。そしたら父さん、メダカとりって、答えてた。友達は、つまらなそうに、フーンって帰ったわ。でも母さん、うそだってわかってたから、そのまま見てたの」

「いまごろの河原って、まだ寒いよね」

「寒いに決まってるでしょ。いたのは、父さんと母さんだけよ。たまに、犬を散歩させてる人がいたかな」

「へぇー。母さん、父さんのこと、よっぽど好きだったんだ」

「そうなのよねぇ。今思うと、びっくりするぐらい。母さん、父さんに、なにしてるのってききたいなぁって思ったんだけど、なかなかそばにいけなくてさ。よし、きこうって何度目かに立ちあがろうとしたとき、中州から女の人が出てきたの」

「女の人？」

「そう、父さんの初恋の人ってわけ」

「川の中の中州から？　幽霊？」

「まさか。そんなこわいものじゃなかったわよ。父さんったら、とろけそうな顔でその人のこと見送って、ほんとにしあわせそうにはねるようにして、家へ帰ったんだから」

「その人ってなに？　人間じゃないよね」

「母さんに、わかるわけないじゃない」

母さんはそういって、スルメをかみちぎった。

マサルは、堤にいた母さんに、父さん、気づかなかったのかときこうとして、あわてて口をつぐんだ。もちろん、父さんは、母さんを見もしなかったのだ。だから母さんが、スルメを焼くんだ。

「その話って、ほんとう？」

マサルは、そうきいていた。母さんも、なにを見たのやら。きりきりしてるわりに、どこかぼーっとしてるんだもんなと、にやにやしているマサルに、

「信じなくてもいいっていったでしょ。あっ、でも、父さんにはぜったいないしょ、いいわね。ほら、さっさと勉強！」

と、母さんは手をふる。

マサルとおしゃべりして、スルメもかんで、母さんの気持ちもだいぶおさまったようだ。母さんに、つきあったかいはあったらしい。

自分の部屋へいきかけたマサルの耳に、

「あんな、わけのわかんないもの」

とか、

「いい年して、初恋の人に会いたいなんて」

とか、ぐちぐちいっている母さんの声が聞こえる。マサルは、

「もしかすると、ほんとの話かな」

とつぶやいていた。

マサルは、こっそり家を出た。母さんから聞いたことはいわないで、父さんに、なにしてるんだってきいてみたくなったのだ。

父さんは、まだ冷たい風の吹く河原にいた。石になったみたいに身動きしない父さんに、声をかけられなくて、マサルは、だまってとなりにすわりこんだ。

「おっ、マサルか」

父さんは、ぎょっとしてマサルを見る。

「なにしてるのさ、たけしが、父さんが河原にいるの見たっていうから」

「あ、ああ、メダカとり……」

父さんは、そういう。マサルは、おかしくなった。父さんは、小学生のころから進歩がない。

笑いだしたマサルを見て、父さんは頭をかく。

「おかしいよな。メダカとりなんて。父さん、うそつくの苦手で。あっ、おこってるんだろう。うそばっかりついてたから」

「うん。おこってる。いったい、こんなところでなにしてるのさ？」

マサルがきくと、父さんは、マサルを見つめていたが、

「ないしょだぞ」

という。また、ないしょかと思いながら、マサルはうなずいた。

「あの中州にな、小さな祠《ほこら》があるんだ。昔は、ほら、あの旭橋《あさひばし》が、ここにあったん

だ」

父さんは、すこし下手《しもて》にある橋を指さす。

「その橋げたの一本が、あの中州に建ってた。じいちゃんがな、橋を通るたびに、いってたんだ。ほらっ、あそこに祠がある。神様がすんでるんだ。だから、雪どけや台風で川の水かさがふえても、祠はぜったい水びたしにならないって。それ、ほんとうなんだ。父さん、ふしぎだなぁって、橋を通るたびに、中州を見るくせがついてた。雪どけで水かさがふえたころだった。いつものように、橋の手すりから身をのりだして中州を見てた。そしたら、祠から春が出てきた」

「春って春夏秋冬の春？」

「ああ、父さんは、春だって思ってる。あの人が祠から出てくると、次の日、かならず桜が咲く。父さん、あの人に会いたくてな。橋がむこうにできてからは、毎年、つい、ここにすわってしまうんだ。大人になってからは、なかなか会えないけど。仕事があるからな」

父さんは、つまらなそうに、ため息をつく。

「春って、女の人ってこと……」

そういいかけたマサルの口は、大きくあいてしまった。

中州の上が、突然、キラキラ光りだした。その光の中に、女の人がいる。緑の髪で、緑の布を身体にまきつけていた。川の上をかろやかにかけてくる、はだしのつまさきだけが、うす桃色だ。

その人は、父さんとマサルへほほえみながら、堤をかけのぼっていった。

マサルの胸があったかくなって、みょうに息苦しくなって、そのまま、ぼーっとしてしまった。父さんは、頭をめぐらして、その人のうしろ姿をじっと見送った。

しばらくして、やっと父さんが、

「ああ、今年も会えたなあ……」

と、てれたようにつぶやいた。そして、

「生きてるかぎり、あの人に会いたいって思うんだろうな」

と、ため息をついた。

ため息は、マサルもいっしょだ。

「ぼくも、いっしょに来ていい？」

マサルがおずおずときくと、父さんはうなずいた。そして、

「マサルも、あの人に初恋か」

と、つぶやいた。

ふたりで家の前に立つと、父さんが、

「母さんには、ないしょだ。いいな」

と念をおす。

「もちろん、だまってるよ。母さん、かわいそうだもの」

「かわいそう？」

父さんは、マサルを見た。

「かわいそうだろ。人間の女の人が初恋の人なら、そりゃいいよ。いまごろ、母さんと同じオバサンになってるもの。でも、あの人、何年たっても、何十年たっても、かわらないわけだろ。母さん、いくらがんばったって、勝ち目ないじゃない」

「あ、ああ、そうか」

父さんは、なるほどとうなずいていたが、

「母さん、かわいそうじゃないぞ」

という。

「どうして?」

「だって、父さんは、母さんがいちばん好きなんだから。マサルより、好きかもな」

「あの人より?」

「当たり前だろ。いちばん好きだから、いっしょに暮らしてるんじゃないか。鼓膜《こまく》がピリピリいうほどどなられても、魚河岸《うおがし》にあがったマグロみたいにどてっと寝てても、母さんがいちばんなのさ」

「スルメかんでも?」

マサルがにやりとしてきくと、父さんもにやりとうなずく。

「だったら、母さんに、初恋の人より好きなんだって、いってやったほうがいいよ」

マサルがそういうと、父さんは、困ったようにタバコをくわえた。

「いわなきゃ、だめかな」

「うん。いったほうがいい」

「うーん」

父さんが、家を見上げた。

家の窓があいて、母さんが顔を出した。

「勉強してるのかと思ったら、マサル、なにしてたの！　あなたは受験生なのよ！

父さん、また！　タバコ、やめるっていったばかりじゃない！」

母さんが、ふたりにどなる。

「マサル……」

父さんは、母さんとマサルを見くらべて口ごもる。

「いわなくていい」

マサルは、首をふった。

ミミズク図書館

「そりゃ、子どもだってねむれない夜はある」

父はそういった。母が、

「トイレへいきたいの？　こわい夢でも見たの？」

ときいたのに、わたしが首をふったからだったと思う。

母は不機嫌だった。父は、夜の十二時に酔って帰ってきて、夜食を食べたいといったのだ。小言のひとつもいうところだったらしい。そこへ、わたしが起きだしてきたので、母は小言を飲み込み、父は、これ幸いとばかりにわたしをひざへ抱きあげた。

「父さんも、子どものころ、ねむれない夜があってな。その夜、とってもおもしろいめにあったんだ。その話、聞きたいか？」

父はわたしにそうきいた。台所から、

「早く寝かせてください。朝起きられなくなるから！」

と、母がふりむいたのを覚えている。

わたしは、父のいうおもしろい話に、期待しなかったと思う。小学校一年生になるまで、わたしは父からおもしろい話どころか、昔話ひとつしてもらったことがなかった。なのに、今でもあのときの父の話を覚えているから、わたしは、うなずいたのだと思う。どんな話だろうという興味より、姉と弟にはさまれたわたしは、両親をひとりじめできるチャンスをのがしたくなかったのかもしれない。

父は、台所でぶつぶついっている母に知らんぷりで話しだした。

「山田のじいちゃんは、転勤の多い仕事だった。だから父さんたちは、二年つづけて引っ越し、なんてこともあったんだ。その引っ越しした夜だ。父さん、ねむれなかった。転校することがいやだった。友達、できるかなあなんて思ってたら、目がどんどんさえてくるんだ。それに、みょうに明るい。引っ越した家が、五階建ての公団アパートだった。カーテンが間にあわない窓から、むかいの棟の廊下の明かりが入ってきてた。頭からふとんをかぶろうとしたときだ。ホーッ、ホーッっていう鳴き声が聞こえた」

父は、手を口にあてて、とても上手に鳴き声のまねをしてみせた。父にそんなことができるなんて……。わたしは、ただおどろいていたのだと思う。

「とても近くで鳴いたようだった。父さん、起きあがって、窓に貼《は》りついた」

「フクロウ、見えた？」

「いいや。見えなかった。それに、鳴いたのはフクロウじゃなかった。ミミズクだった」

「ミミズクが、見えたんだ」

「いいや、そのときは見えなかった。かわりにむかいの棟のドアのひとつがあいて、子どもが出てくるのが見えた」

「子どもが？　夜中に？」

「そうなんだ。パジャマを着て、手に四角いもの持ってた。すると、となりのドアもあいて、やっぱり子どもが出てきた。上の階からも下の階からも、子どもが出てくる。そして、下へむかって手をふったりしてるんだ。下の広場に、子どもたちがかり何十人も集まってた。みんな、パジャマ着て、四角なもの持ってたんだ。父さん、玄関からとびだした。転校生が友達つくるには、とにかくみんなと同じことしなきゃいけないって、思ってたからな」

わたしはうなずいた。転校生じゃなくても、ひとりだけちがうことをすれば、仲間はずれにされるのは、昔も今もかわりはない。

「父さんの家は四階だった。階段をかけおりてると、父さんより大きい男の子が、父さんを追い越していった。そして、追い越しぎわに、『おい、本忘れてるぞ』って、自分の持っていた『怪人二十面相』をふってみせた。みんなが持ってた四角なものって、本だったんだ。父さん、あわてて家へ帰った。でも、本がなかった」

「一冊も？」

「ああ」

「どうして？」

「引っ越したばかりだったからさ。本はみんな箱につめたままで、まだほどいてなかったんだ。あるのは教科書だけだった」

「父さん、どうしたの？」

「しかたがないから、教科書やノートをランドセルにつめて、それしょって下へおりた」

うどんを運んできた母が笑いだした。わたしも笑っていた。なんとなく、父がしそうなことだったからだ。父は、ランドセルに、四角なものはぜんぶつめたに決まっていた。そしてパンパンにふくらんだランドセルを、パジャマの上へ背負ったのだ。

「おまえたち笑うがな、そうしてよかったんだぞ。その中のノートのおかげで、父さんはミミズク図書館へつれていってもらえたんだから」

と、父はとてもうれしそうにいった。

「ミミズク図書館？」

「ああ、さっき、鳴いた鳥はミミズクだったっていったろう」

父は、わたしにもうどんをすすりこませてくれながら、また、話しだした。

「父さん、ワクワクして広場の子どもたちにまじってた。これからなにかおもしろそうなことがおこりそうだったからだ。ドキドキもしてた。こいつ、見かけないやつだとか、教科書持ってらあ、とかいわれて仲間はずれになるのがこわかったんだ。まわりの子どもたちは、『野口英世の伝記』とか、『アンデルセン童話集』とか、『安寿と厨子王』なんか持ってた。だれかが、『いくぞっ』っていった。みんな、ぞろぞろ歩きだした。細い道だった。まわりには父さんの背丈より高く草がはえていた。どこをどう歩いたのか、父さんはよくわからなかった。引っ越してきたばかりの町だ。父さんは、みんなのあとを必死についていった。ずいぶん歩いたような気がしたが、案外近かったんだろうな。父さんより小さな子どもだって、トコトコ歩いてたんだから」

「そして、ミミズク図書館についたの？」

「ああ、野原の中にポツンと石造りで、二階建ての建物が建ってた。窓からこうこうと明かりがもれて、すごくきれいだった。大きな木のドアはあけられていて、ふつうの図書館のように受付のカウンターがあった。でも、カウンターの中にいたのは、大きなミミズクだった」

「鳴いたの、そのミミズクだったんだ」

「きっとそうだったんだろうと、父さんも思う」

「鳴かなかったの？」

「図書館の中では鳴かなかった」

「そうか。図書館の中では静かにしなきゃいけないものね」

「そうだ。みんなも、だまってひとりずつ中へ入っていった。父さん、みんながどうするか一生懸命に見てた。ひとりずつ、持ってきた本をミミズクに見せてるんだ。ミミズクがうなずいてくれれば、図書館の中へ入れてもらえる。ミミズクが首を横にふると、本を持ったまますごすご帰ってくる」

「どうして？」

「父さんもわからなかった。でも、だんだん父さんの番が近くなって、図書館に近づくと、中から、入れてもらった子どもたちのうれしそうな声が聞こえてきたんだ。時折『シィー』なんて声もする。あのときはほんとに、中に入れてもらいたいって思ったな。父さん、こわごわミミズクの前に教科書をひろげた」

「ミミズク、どうしたの？」

「首を横にふった」

わたしはため息をついたのだと思う。

「図書館に教科書持っていって、入れてもらえないなんて、へんじゃない？」

母が口をとがらせた。

「ふつうの図書館なら、入れてもらえるさ。でもミミズク図書館は、たぬきやきつねの子どものための図書館だった」

「えーっ！」

わたしは父を見上げた。母は、あきれたというように、口をあけた。

「たぬきやきつねの子が人間に化けたときに困らないように、人間の子どもが本を貸してやり、そのかわりに図書館へ入れてもらうってことらしかった」

「うそーっ！」

「ほんとだ。父さんは見たんだ」

父は自信満々だった。わたしも母も、そのひとことで、父のいうことを信じてしまった。

「父さんが引っ越しした日が、本を持っていってやる日だったんだ。ミミズク図書館に集められる本は、おもしろくって、何度も何度も読まれた本ばかりのようだった。ミミズクが首を横にふった本は、持っていった子さえ、一度読んだかどうかっていう、真新しい本だった」

「ふーん。なんでもいいわけじゃないんだ」

「そりゃそうだろう。つまらないと思っている本を人に貸すのは、失礼だろ」

「あら、それなのに、教科書を出したんじゃ、ミミズクに首をふられてもしょうがないわ」

母が笑いだした。

「ああ、父さんの教科書なんて、大事にしすぎて、そりゃきれいなものだったさ」

父も笑っていた。

「ミミズクに首をふられて、父さんがっかりしてな、ランドセルに教科書入れようとして、ノートを床にばらまいてしまったんだ。それをのろのろひろいあげてると、ひろうの手伝ってくれた子がいた。階段で父さんに声をかけてくれた子だった」

「本忘れてるって」

「ああ、あとでなかよしになったんだが、元《げん》ちゃんっていった。元ちゃん、父さんのノートを、にやにやして見てるんだ。それは、父さんのたいせつなノートだった。父さん、マンガ描《か》くの好きでな、マンガ専用のノートがあったんだ。父さんが元ちゃんからノートをひったくると、元ちゃん、ミミズクにあごをしゃくってみせた。このノートを出してみろっていいたかったらしい。父さん恥ずかしかったけど、図書館へ入ってみたかった。だから、おずおずノートを出してみた」

「ミミズク、どうした」

「もちろん、うなずいたさ」

「よかった」

わたしは、ほんとうにそう思ったのだ。

「図書館の中は、いろいろな本でいっぱいだった。そして、パジャマじゃない子どももたくさんいた。まるでふつうの人間の子どもと同じに見えた。みんな、なかよしの子がいるようだった。元気だったかなんていいながら、本をわたしてやってた。元ちゃんにも、なかよしがいた。元ちゃん、父さんのノートもいっしょに、その子にわたしてやった。父さん、『気に入ったら、つづき描いてくるよ』って、その子と約束したんだ」

「気に入ってもらった？」

「わからない」

「どうして？」

「その町に、一年もいないで、また引っ越してしまったから」

「なあんだ。つまんない」

「父さんもつまんなかった。でも、あのミミズクが、父さんのマンガを気に入ってくれたことはたしかさ」

「そうだね。なんのマンガだったの？」

「父さんが主人公でな、トニー＝ザイラーばりにスキーをする話だった」

「トニー＝ザイラーってなに？」

「有名なスキー選手さ。父さん、子どものころ、マンガとスキーに夢中になってたから」

父はそういった。

「父さん、マンガなんか描けるんだ」

「似顔絵なんかうまいもんだったぞ。子どものころの話さ」

父は、あくびをした。わたしも母もあくびをした。

わたしは、父が一度だけしてくれたミミズク図書館の話が好きだ。高校生になっても、時折思い出しては、にやにやしてしまうことがある。父は、わたしにそんな話をしたことなんて忘れているようだった。

中学生の弟が、神妙な顔でわたしの部屋をのぞきこんだ。

「ねえちゃん、話がある」

といったまま、なかなかいいだそうとしない。なだめたりすかしたりして、やっとききだせば、

「父さんに隠し子がいたの知ってたか？」

という。わたしはひっくりかえってしまった。

「今日、おれ、父さんとふたりでスキーへいったろ。スキー場で、すっごくスキーの上手な男の子に会ったんだ。そいつ、おれそっくりなの。小学校の三年生ぐらいかな。ほんとにそのころのおれそのままなんだ。気味が悪いくらい似てんだ。父さんもびっくりしてさ。話しかけて、名前きいたんだ。そしたら、父さんと同じ名前なんだぞ。そしたら父さん、その子つれておれからはなれていってさ、なにか話しながら、その子の肩抱いて泣いたんだ。その子もうれしそうにしてんの。あれ、きっと隠し子だぞ」

弟はそういって、くちびるをかんだ。

「あの子だれだって、父さんにきいた？」

「きけるわけねえだろ。父さんだってショックだったみたいなのに」

「今からきいておいで。きっと、おもしろい話だから」

わたしは、弟を部屋から追いだしながら、父はうれしかったんだろうなと、思っていた。父のマンガは、ミミズク図書館で、みんなに愛されて読みつがれているらしいのだから。

木《き》積《つ》み村《むら》

「これ、明《あきら》くんとミエさんからの新婚旅行のおみやげだ。泰江《やすえ》にも買ってきてくれたらしい」

父は、一か月ほど前に結婚した明兄ちゃんと、飲んできたらしい。赤い顔をして、紙袋を母に、小さな包みをわたしに手わたした。

明兄ちゃんは、父の会社の同僚だった塚本《つかもと》さんのむすこだ。小さいころ、となりどうしの社宅にいたことがあり、わたしは明兄ちゃんを兄がわりにして育った。おたがいに社宅をはなれて、明兄ちゃんが社会人になってからも、男の子がいない父がかわいがるせいか、明兄ちゃんはたまにわが家に顔を出す。

「チョコレートだわ。泰江、コーヒーいれておいて」

紙袋をのぞきこんだ母は、ダイエットのことなど忘れたらしい。袋をわたしにあずけると、

「ヨーロッパへいってきたんでしょ。ミエさんといっしょに、おみやげ話しにこいって、さそえばよかったのに」

といいながら、父が点々とぬぎちらかした背広やズボンやワイシャツをひろい集めている。

わたしはコーヒーメーカーをセットすると、さっそく、おみやげの包みをあけた。明兄ちゃんは、高校生にもなってくまのぬいぐるみ集めかと、わたしのことを笑っていたのに、出てきたのはクリスタルのくまの人形だった。明兄ちゃんにしては、しゃれたの選んだじゃないとにやりとしかけて、そうか、ミエさんが選んでくれたんだと思った。

明兄ちゃんといっしょに結婚式の招待状を持ってきたミエさんは、目にちょっと険《けん》のある美人だった。とっつきにくい人に思えたが、初対面の緊張がとけると、よく笑うきさくな人だとわかって、小姑《こじゅうと》を気どっていたわたしは安心したのだ。

「こいつ、オフクロと同じ村の出なんです。オフクロ、自分と同じ里から嫁をもらったほうが安心するらしくて」

と、明兄ちゃんはてれくさそうに頭ばかりかいていた。

「オフクロさんが気に入ったみたいなこといってもだめだぞ。明がミエさんにぞっこん惚《ほ》れたんだって、お父さんのほうから情報が入っている」

と、父がいうと、明兄ちゃんは、首まで真っ赤になったのだ。

「ほう、かわいいのもらったなあ。あとできちんとお礼をいうんだぞ」

着がえてきた父は、わたしの手もとをのぞきこむと、まだ父のぬぎちらかした靴下をさがしている母にむかって、

「おれもうちに来ないかってさそったんだが、明くん、離婚騒動でそれどころじゃないらしい。ノイローゼにでもなってるんじゃないか？　へんなこといいだしたりして、おれもまいったよ」

といった。

「えーっ。離婚ですって」

母が、やっと見つけた靴下をにぎってとんできた。

「今はやりの成田離婚ってやつ？」

わたしも、持っていたガラスのくまを落としてしまいそうだった。

「まったく、今どきの高校生はろくな言葉を覚えん」

父はわたしをひとにらみすると、

「同じはやりでも、中高年のほうだ」

と、どっかりとすわりこんだ。

「それじゃ、塚本のおじさんとおばさんが――」

わたしはそういったきり、言葉が出なかった。母もあんぐり口をあけたままだ。

おじさんは、去年退職したから六十歳をすぎているはずだし、おばさんだって六十近いはずだ。わたしには、どこにでもいる平凡なおじさんとおばさんに思えていた。

「明くんたちが新婚旅行から帰ってきたら、もうオフクロさんは家にいなかったそうだ。ミエさんが、実家のほうにそれとなく問い合わせたらしいが、オフクロさん、実家へも帰っていないらしい」

「ああ、塚本さんの奥さんとミエさん、同じ村の出だっていってたから。でも、どうしてそんなことになっちゃったのかしら？」

　母がまゆをよせた。

「奥さん、前々から考えていたらしいぞ。明も結婚して独立したから、わたしの役目はもう終わりました。これ以上、あなたと暮らすのはうんざりですっていって、出ていったらしい。明くんは、オフクロさんのことはそう心配してなかった。自分のしたいようにしたんだから、オフクロは行方がわからなくても大丈夫でしょうって。オヤジのほうが、オフクロに出ていかれたショックで寝こんでしまって、たいへんでしたっていってた」

「あなた、お見舞いにいかなくてもいいかしら？」

「おれもそう思ったんだが、四、五日前から起きだしたそうだ。塚本さん、奥さんがいないと、家の中のことはなにもできないらしい。下着や靴下の置き場所から、炊飯器や掃除機のつかい方まで知らんのだそうだ」

「それは、どこでも同じでしょう」

　母が、父の靴下をつまみあげてみせた。

「一生懸命仕事をしてれば、家の中のことなんかわからなくて当たり前だ。とくに塚本さんは、仕事人間で有名だったからな。明くんでさえ、オフクロがオヤジに愛《あい》想《そ》をつかすのもわかりますっていいだしてな。休みの日も、つきあいゴルフやマージャンで、家になんていたことなかったし、オヤジは、家には寝に帰ってくるだけの人っていう存在でしたからって」

「それも、どこでも同じでしょうよ」

母がまたそういって、父を横目で見た。

「だから、男は仕事してればだれだってそうなるんだ。塚本さん、退職してから、どうやって毎日をすごしたらいいかわからなかったらしい。それで、いらいらして、奥さんにあたりちらしていたそうだ。奥さん、会社にいってもらってたほうがよかったって、ぐちってたらしいぞ」

「お好きなゴルフやマージャンを、なさればよかったじゃない」

母の口調は冷たい。

「好きでやってるると思ってるのか。みんな仕事上のつきあいで、しかたなくやってるんだ。まったく、亭主族なんてつまらんなあ。だれのために、したくもないゴルフをしていると思ってるんだ。みんな女房子どものためじゃないか。だれのおかげで、こうして安心して暮らしていられるんだ。亭主が疲れた身体にむちうって、ゴルフクラブをふってるからじゃないか。なのに、あとになってこんな仕打ちを受けにゃならんとは、おれは、塚本さんがかわいそうで泣けてきそうだった」

父が涙をためているのに、母はフンと鼻を鳴らすと、

「お金さえ運んでくれれば、夫や父親の役目はすんだなんて思ってるから、そんなことになるのよ」

という。

「おまえは、塚本さんに同情しないで、奥さんの肩をもつのか！」

「当たり前でしょう。妻を家政婦がわりにしているから、逃げられたりするのよ」

父の声も母の声も、だんだん大きくなってきた。塚本家どころか、わが家まで雲行きがあやしくなりそうだ。

「とにかく、結婚して独立してようが、子どもにとって親の離婚はショックだわ。

明兄ちゃん、かわいそうだね」

と、わたしが口を出すと、やっと父も母も、わたしがそばにいたことを思い出したらしい。母はまだ父になにかいいたそうにしていたが、父は、これ幸いと話題を明兄ちゃんのほうへうつしてしまった。

「そうなんだ。明くん、そうとうまいっていたぞ。へんなこといいだしたりしてな」

と、父がうなる。

「へんなことって？」

「明くん、うちのオフクロはきつねだったかもしれないっていうんだ」

「父さん、わたし、心配してきいてるのよ」

「そうよ、あなた。冗談いってる場合じゃないでしょ」

女ふたりににらまれて、父は大あわてで首をふった。

「ほんとうに、明くんそういったんだ。おれだって、最初聞いたときは笑ってしまった。でも、明くんは真剣なんだ。泰江は『信太《しのだ》妻《づま》』を知ってるか？『恋しくばたずねきてみよ』ってやつだ」

「知ってる。きつねが人間の女の人に化けて、結婚して子どもまでつくるんだけど、犬に正体をばらされて森へ帰ってしまう話でしょう」

「ほう。よく知ってたな。おれは明くんに『信太妻』といわれても、ピンとこなかった。話の内容ぐらいは知ってたがな。あれだっていうんだ。明くんのオフクロさんの実家は、東北の山の中の小さな村なんだそうだ。木積《き つ》み村《むら》っていうその村で、お盆になると、毎年村芝居がお稲荷《いなり》さんの境内《けいだい》でかかるそうだ。その芝居が、決まって『信太妻』だというんだな。その芝居を村じゅうの人が観《み》て泣くらしい」

「あれは悲しいお話だもの、泣いたってふしぎはないと思うけど」

わたしは、「ねえ」と母を見た。母もうなずいている。

「それが異様な雰囲気らしいんだな。大人も子どもも息をつめて、くい入るように芝居を観るそうだ。そして、だれというわけじゃなく泣きだして、しまいにはその泣き声が村じゅうにひびきわたるっていうんだ。明くんも木積み村へ帰るたびにその芝居を観せられたらしいが、芝居より、それを観て泣く村の人たちのほうがおそろしくて、よく夢に見てうなされたもんですっていってた。それに、オフクロさんの実家では、今年も塚本さんは来なさらんのか、一度くらい芝居を観てもらわんと……と、オフクロさんを心配そうに見ながら、ため息をつくんだそうだ。明くん、うちのオフクロは、もうあきらめていたのか、どこかつれていけなんてオヤジにいったことがないのに、お盆の帰省のときだけは、しつこいぐらいにいっしょに帰ろうってさそってました。あれは、オヤジにあの芝居を観せたかったんだと思いますっていうんだ。あれは警告だったっていうんだ。いつかわたしはいなくなってしまう、わたしはこの信太妻と同じなんだって、オヤジに知らせたかったんじゃないかって。もっとも、塚本さんは仕事がいそがしくて、一度もお盆に木積み村にはいったことがないそうだがな」

「それだって、どこでも同じでしょう」

母は、こんどは小声でつぶやいた。父も、母の実家にはここ何年といったことがない。とくに夏はいきたがらない。仕事を休めないといっているが、帰省客で混みあう列車に何時間もゆられ、母の両親や兄弟に気をつかいながら何日かすごすより、家でビールでも飲みながらゴロゴロしていたいらしいのは、わたしも母も気づいている。

「おれはおまえの親戚の結婚式にも法事にも、きちんと顔を出している」

父はうるさそうにそういうと、

「その村がある地方には、動物が人間に化ける民話がたくさんあって、明くんも木積み村に帰るたびに、おじいさんやおばあさんから、そんな話を聞かせてもらっていたらしい。いろいろな話があるが、人間に化けてもしあわせに暮らせなかったものは、山へ帰ってしまうという同じ終わり方をするそうだ」

「塚本さんのおばさん、人間に化けてたんだけど、しあわせじゃなかったから、山へ帰っちゃったってこと？」

「明くんはそう思ってる。オフクロさんと木積み村のあぜ道を歩いていたときだそうだ。虫とりにいく途中の子どもたちが、ふざけながら走ってきて、オフクロさんにぶつかったんだそうだ。その子たちは、顔をあげてオフクロさんを見たとたん、『きつねが来た！』とさけんで逃げだしたことがあったたっていうんだ」

「ふーん。塚本さんのおばさん、どっちかっていうと、きつね顔だもんね。鼻がつんと高くて、目がつりあがり気味で」

「明くん自身も、木積み村の女の人がきつねに見えたことがあったらしい。木積み村の川で水遊びをしていて、知らないおばさんに声をかけられたそうだ。明くんが声のしたほうを見上げたら、土手に立っているその人は逆光でよく見えなかったのに、どういうわけか、はっきりきつねだって思えて鳥肌がたったたって。今まで気にもしなかったが、家のまわりに燃料のたき木を積みあげている家が多いから『木積み村』だなんていってるが、ほんとうは『きつね村』なんじゃないか。あの村には犬が一匹もいないんです。一匹もですよって、明くん、青い顔してたぞ」

「塚本さんのおばさん、まわりに犬を飼う人がいないから、マンション暮らしのほうが性《しょう》にあってるっていってたよね」

「そういってた。社宅を出たのも、おむかいで犬を飼いだしたからだったもの。わたしも犬はあまり好きじゃないけど、塚本さんの奥さん、ちょっと病的にきらってたわ」

わたしと母はうなずきあった。

「そして、ミエさんもそうなんだとさ」

父は、「やれやれ明くんも苦労する」とため息をつく。

「犬がきらいなの？」

「それに、ミエさんも木積み村の出だ」

「明兄ちゃん、ミエさんもきつねじゃないかって疑っているの？」

「ああ、オフクロさんみたいに、家を出てく日が来るかもしれないって心配してた。もっとも、ぼくがオヤジみたいにならなきゃ大丈夫でしょうがともいってたがな」

「しあわせなら、きつねだろうが、人間だろうが、家を出たりしませんよ」

母がそういった。

「まあ、そういうことだろうな。男はたいへんだ。仕事にも女房にも気をつかいながら暮らさにゃならん。もっともわが家は、きつねっていうより、たぬきっていう奥さんだから、おれは心配いらんってことだけどな」

父はそういって笑い声をあげた。母は、

「妻をたいせつにしようって、明くんは思ったんだから、塚本さんの奥さん、家を出たかいがあったわねえ」

と、父の靴下を持って立ちあがった。

わたしは、その母のうしろ姿へ目をやった。すっかり太ってしまったが、母だって若いころの写真を見れば、ほっそりとして、どちらかといえばきつね顔なはずだ。父はもうそのことを忘れている。それに、わたしがどこで「信太妻」の芝居を観たのか、父は知らない。

木積み村は、名前こそちがえ、母のいなかでもあることを、父は知らない。

ザクロの木の下で

「明子《あきこ》姉さんのこと、そろそろ、迎えにいかなくていいの？」

わたしは、父と将棋《しょうぎ》をさしていた兄にきいた。分《ぶ》が悪いらしい父が、これ幸いと腰をうかせかけたのに、

「五時ごろ出りゃ、間にあう」

と、兄は、将棋盤にかがみこんだままだ。

この週末、共働きの兄夫婦は、奥さんのほうがいそがしかったらしい。せっかくの土曜日も、夕方までの出張。ひとり残された兄は、となり町にあるマンションから、父と将棋をさしに、やってきていた。兄は、駅へ姉を迎えにいってマンションへ帰るのかと思っていたら、ふたりで、こっちに泊まるつもりらしい。

「あら、そうなの。なら、早くいいなさいよ。今夜は、鍋にでもしようかな」

と、母は、いそいそと買い物に出かけていった。

わたしは、今夜の食事は期待できそうだと思いながら、

「明子姉さん、よく夫の実家なんかに泊まりに来るわね。わたしだったら、なるべく近づかないけどな」

と、つぶやいていた。兄夫婦は、たしか、先月も泊まりに来ていた。

「そんなこと、嫁にいってみなきゃわからんだろ」

将棋盤を見つめながら、父がつぶやきかえしてよこす。

「結婚した友達を見てりゃわかるわよ。夫の実家へいくときなんて、ぶーぶーいっているもの」

「親父、王手！」

兄は、駒《こま》をパチンと置くと、テレビが見える位置にすわりなおしてしまった。そして、

「明子も前はそうだったぞ。でも、このごろは、こっちのほうが、居心地がいいらしい」

という。

「どうして？」

「このごろ、うるさいらしい」

「なにが？」

「あいつの弟のとこに、去年子どもが生まれたろ。おまえのとこは、まだか、まだかって、あいつの両親がうるさいらしいんだ」

「あー、そうか。兄貴たち、結婚して何年だっけ？」

ときくと、兄は、片手をひろげてみせる。

「ほう、もうそんなになるのか！」

未練気《みれんげ》に、駒をにぎっていた父が、おどろいたように兄を見た。

「これだもんなぁ。だから、明子も、居心地がいいのかねぇ。このごろ、おれとふたりだけの食事に飽きると、お母さんのとこで、ごちそうになろうかなぁ、なんていうぞ」

「ふーん。姉さんて、実家に帰りたくないほど、子どもができないって、気にしているの？」

「それほどじゃないだろうけど、いわれりゃ、気にさわるんだろ」

「考えてみれば、父さんも母さんも、孫の顔が見たいとかって、よくいわないでいられるわね。ふつうは、いうわよ」

「いわん、いわん、しあわせに暮らしている夫婦なら、それでいい」

父はそんなこと、つまらん、つまらんと、手をふる。

「父さんはそう思ってても、母さんは、ちがうかもよ。母さん、子ども、大好きじゃない」

「あいつ、何年か前に、オフクロに相談したことあるらしい。不妊の検査とか、したほうがいいだろうかって」

「母さん、なんていったって？」

「神様が授けてくれるんだから、待ってりゃいいんじゃないって、いったんだと。どうしようもなけりゃ、この町には、あれ？　なんだっけな。とにかく、なんとかって神様もいるんだからって、いったそうだ」

兄はそういって、

「うちのオフクロらしいけどな」

と、苦笑した。

わたしは、ため息が出た。母の性格は、ほんわりしているといえば言葉はいいが、どこか間が抜けている。他人の気持ちの動きに、鈍感なところがある。そんなどうでもいいような答え方をされて、姉さん、傷ついたんじゃないだろうか。

「父さん！」

連帯責任で、父をおこってやろうとしたのに、父はまじめな顔で、

「母さん、それで、精いっぱいだったんだと思う。あとは、いえなかったんだろ」

と、つぶやいた。

「そんな精いっぱいってある？　神様がいるから、大丈夫だなんて。明子姉さん、おもしろくなかったと思う。いえなかったんだろうって、なにか、いえない秘密でもあるの!?」

「秘密なんてない。う、うん。このあたりには、鬼子母神《きしもじん》信仰《しんこう》があるってことだけだ」

父は、口ごもりながらそういう。

「鬼子母神ってなに？　どうして、そんなことが、いえないことなの？」

わたしがまだ、いいつのろうとしてるのに、

「そうそう。鬼子母神だ。明子も気になったらしいよ。いつか、事典で調べてたもの。鬼子母神は、他人の子をさらって食べてたんだけど、仏様に自分の子をさらわれて、改心し、子どもを守る神様になったって。子どもの味がザクロに似ているとかで、かならずザクロを持ってるんだって」

と、兄が口をはさむ。

「ほら。やっぱり、姉さん、母さんに、そんないい方されて、おもしろくなかったんだ」

わたしが、父をにらむと、父は、片手でぺろんと顔をなでて話しだした。

「母さん、ただの昔話だから、明子さんに聞かせても、つまらんだろうと思ったんじゃないかな。この町には、鬼子母神のお社《やしろ》がある。昔、飢饉《ききん》がつづいて、口べらしのために子どもが殺されそうになると、ここの鬼子母神は、その子を自分のお社

へつれてくるんだそうだ。このあたりは、昔から土地も肥《こ》えていたし、水も豊富なところでな。案外裕福な家が多かった。だから、子どものない家はもちろん、もうひとりぐらい育てられるって家もあったんだろうな。そんな家の人が、お社から、子どもをもらってくるんだ。そんな話さ」

父は、それで終わりというように、うなずいてみせた。

「なんだ。お社が、コインロッカーがわりだったって話じゃない」

わたしが鼻を鳴らすと、父は、ドンとテーブルをたたいておこりだした。

「まったく、おまえも、なんていい方する！　いいか、神様がすることだから、ふしぎなんだ」

と、また話しだす。

「お社につれてこられる子は、みんな遠いところから来るんだそうだ。子どもたちが持っているお守りが、伊勢神宮《いせじんぐう》だったり、春日大社《かすがたいしゃ》だったりしたそうだ。電車もない時代に、そんなところから、わざわざ子どもを捨てにくるか？　それに、昔のことだから、ここいらは村だ。見かけない親子づれがいたら、そりゃ、すぐ目立つ。いつもの村人ばかりのいつもの日なのに、お社のほうで子どもの泣き声がする。おやっと思うと、もう、知らない子がいるっていうんだな。それが、決まって日暮れで、カラスがねぐらへ帰るころなんだそうだ。すると、お社のあたりの人たちは、なんにもいわないで、戸締まりして、家にとじこもる」

「どうして?」

「子どものほしい人が、お社に、子どもを迎えにきやすくしてやるんだ」

「そんなことしても、小さな村なら、あの子は、お社からひろわれた子だって、みんなにわかっちゃうでしょ」

「迎えにきたところを、だれも見ていないんだ。見ていないことは、どうこういわれん。新しい親も近所の人たちも、生まれたときからこの町にいる子として育てるんだ」

「ふるくさーい。日本人の体質、そのまんまって、感じ!」

「その、どこが悪い。おまえは、ほんとうは実の親に殺されかけた子だって、教えて、いったいなにになる」

父は憮然《ぶぜん》としてそういう。

「子どもができないならもらった子でもいいじゃないかって、ことだろ。きっと、母さん、明子には、まだ、そんなこといわなくていいと思ったんだな。おれは、いい話だと思うな。子どもがやってくるのが日暮れで、カラスがねぐらに帰るころっていうのも、よくわかる。あの時間って、みょうに家が恋しいんだよな。父さんと母さんのところへ帰るんだって、せつないぐらいに思うぞ。きっと、お社につれてこられた子も、そんな気持ちになるころだから、迎えにきてくれた新しい親に、すなおについていけるんじゃないか。おれだって、ずいぶん大きくなっても、日暮れになると家の明かりが恋しくて、走って帰ったこと何度もあるもの」

兄は、てれくさげに頭をかいた。

「そうね、日暮れって、さみしいんだよね。空が真っ赤な夕焼けで、カラスがちっちゃな点になって、そんなとき、大きな木の下で泣いてたことあったもの。兄貴と手をつないで、片方の手で涙ふいていた。母さんが迎えにきてくれたとき、すっごくうれしくて。子どもって、いつからこの人が母さんだって自覚するのかわかんないけど、わたしは、あのときだったような気がする」
「あー、そのときのこと、おれも覚えてる。心細くて、おまえはぴいぴい泣いて
て。校庭みたいなところだろ？」
「校庭みたいだったけど、もうちょっとせまかったわ。すべり台やシーソーやジャ
ングルジムがあった。幼稚園……じゃないわ。たんぽぽ幼稚園に、あんな大きな
木、なかったもの」
そういいながら、どうして、あのときのことをこんなにはっきり覚えているんだ
ろうと、ふしぎだった。そして、心細かった気持ちまで、昨日のことのように思い
出せるのに、たった今まで、そんなことがあったなんて忘れていた。
「あの木、ザクロよ。ぱっくりわれた赤い実が見えたもの」
あのとき見た赤い色が目の前にひろがった。
「わかった。駅へいく途中にある、古い保育園だ。ほら、マルイスーパーのむかい
にあるだろ。保育園の庭にある木だ。おれ、みょうになつかしい気持ちで、あそこ
見ることあるんだ」

「ああ。そうよ。でも、おかしいよね。わたしたち、保育園にかよってたって、聞いたことないよ」

わたしは兄を見た。

兄は、遠くを見るような目をして、しばらくだまっていたが、

「オフクロ、鬼子母神の話、明子にも、だれにも、したくなかったんだな」

とつぶやいた。そして、

「親父も、おれたちに、聞かせたくなかったんじゃないのか」

と、父を見た。父は、いつの間にか、ソファに横になってねむっていた。

わたしの頭の中で、いろいろなことが、うずまいた。お社というから、りっぱな建物を想像していたが、あの保育園のザクロの木のそばに、百葉箱《ひゃくようばこ》みたいな小屋がある。あれが鬼子母神のお社なのかもしれない。ザクロの木の下に立っていたということは、鬼子母神のお社につれてこられた子ということだ。そこにわたしと兄はいた。それに、わたしも兄も、生まれたばかりのころの写真が一枚もない。なくしてしまったと親にいわれて、ドジなんだからぐらいにしか、思っていなかった。兄

が四歳、わたしが三歳からの写真しかないのだ。兄のいうとおり、両親は、鬼子母神の話をわたしたちに聞かせたくなかったのだ。

わたしは、父を起こそうかと思った。でも、さっきみたいに、つまらん、つまらん、と手をふるだけだろう。

「おれ、いってみたくなった」

兄が立ちあがった。

「どこへ？」

「保育園」

「わかったら、どうする？」

「なにがわかればいいんだ？　おれたちは、今までどおりだろ。ただ、いってみたい」

「わたしも」

わたしは、兄のあとを追った。目頭《めがしら》が熱い。

また、あの木の下に、兄とふたりで立っていたら、母は迎えにきてくれるんだろうか。そんなことがあるわけないのに、無性に迎えにきてもらいたいと思う。

「母さん、また迎えにきてくれるといいね」

と、兄にいいたい。でも、そういってしまったら、兄のいう「今までどおり」じゃなくなるような気がして、こわくていいだせない。


保育園のあたりは、静まりかえっていた。むかいのマルイスーパーも、お休みだ。歩いているのは、兄とわたしだけだ。

まだあいている門から、保育園をのぞきこんだ兄が、あれっと首をかしげた。

「明子、明子か？」

と、声をかけながら、入っていく。

保育園の園庭に、ポツンと明子姉さんが立っていた。兄の声にふりむいた明子姉さんは、おくるみに包まれた赤ん坊を抱いていた。ふりむいた明子姉さんの顔が、兄を見つけて、泣きだしそうになった。

「ここまで帰ってきたら、ちょうど、仕事帰りのお母さんたちが、子どもを迎えにくる時間だったの。ここから、車や自転車がぞろぞろ出てきて、わたし、門のところで足止めくっちゃって。みんな、出ていったと思って歩きだしたら、ひとりだけのこっていたらしい赤ちゃんが、突然火がついたように泣きだしたわ。つい、泣き声のしたほうを見たら、先生らしい人が、赤ちゃん抱いて木の下に立ってたの。この木の下に、ほんとうにいたのよ。ヒヨコの模様のエプロンして。その先生が『よかったね。ママだよ』って、わたしを指さしたわ。そしたら、この子、泣きながら小さな手をわたしのほうにのばしたの。ほんとうに手をのばしたのよ。わたし、この子のママじゃないのに、抱いてやんなきゃって思ってしまって、ふらふら近寄って、この子のこと受けとっちゃった。そしたら、先生が消えたの。たった今。今よ」

明子姉さんは、青い顔をして、兄にそう話した。人が消えたのがこわいのか、ぶるぶるふるえている。でも、赤ん坊をはなそうとはしない。赤ん坊も、すやすやねむっている。

もう、すっかり日が暮れて、あたりはうす暗い。保育園には明かりひとつない。

「いいんだ。この子、おれたちの子なんだ。つれて帰っていいんだ」

兄は、明子姉さんの肩を抱いて、そういう。

「だって……」

明子姉さんは首をふりかけたが、赤ん坊が、目をさましそうになったのに気がついて、やさしくゆする。そして、

「お父さんとお母さんが、びっくりするわ」

と兄を見た。

「大丈夫。あのふたりは、慣れているもの」

と、わたしがいうと、明子姉さんは、きょとんとしていたが、兄は、うれしそうに笑いだした。

「信用堂」の信用

オフクロの顔が、みょうにひきつっている。

なんの話かと思えば、

「肇《はじめ》、着つけ教室にかよってるって、ほんとうなの？　おむかいの田村《たむら》さんに、肇ちゃん、駅前の着つけ教室にかよっているのねぇっていわれて、おどろいちゃったわよ！」

という。

おれがうなずくと、オフクロの顔のひきつりは、ますます大きくなった。

「どうして、そんなところへかよってるのよ？　いったい、いつからかよってるの？」

「中学一年から」

「三年も前……」

オフクロはそういうと、絶句してしまった。

「いい先生なんだ。佐々木月《ささきつき》っていうおばあちゃんでさ。そろそろ七十になるかな。男の子じゃ、教室のみなさんもあなたも、いづらいときもあるだろうからって、月に一度、特別に個人教授してくれてる。月謝も、こづかいの中でたりるしさ」

おれが、オフクロの顔のひきつりをなんとかなおそうと、しゃべりつづけているのに、オフクロは、十六年もつきあった自分のむすこを、はじめて見るみたいな目つきで見ている。

「この前、手伝いにいったのを、田村さんのおばさんに見られたんだな。大きなお茶会なんかがあって、何十人も着物を着るとき、月先生がたのまれて、着つけしてやるんだ。でも、月先生も年だから、あまり大勢だと帯しめるだけで疲れちゃってさ。それで、おれが手伝いに駆《か》りだされるわけ。いいアルバイトなんだぜ。月先生、気前いいから。それに、男の力で帯をしめたほうが、着くずれしないって評判いいんだ。おれ、もう講師の免状《めんじょう》とれるんだって。とればいいって、月先生にすすめられてるんだ。昔から、舞妓《まいこ》さんや芸者さんの帯をしめるのは、男の人なんだってさ」

「肇、そういう仕事したいわけ？」

「いいや」

「それじゃ、どうして？　どうして、着つけなんて習うのよ。どうして、親にないしょで、そんなところへかよってるの？」

オフクロは、目をつりあげて、テーブルをバンとたたいた。

まるで、おれが、どこか悪いところへかよっていたみたいだ。お茶だってお華《はな》だって、家元は男だ。お茶やお華を習っている男だって、たくさんいる。男だけの料理教室だってある。なのにどうして、おれが着つけ教室にかようのが、そんなにいけないんだ。それに、ないしょなんかじゃない。

「おれ、着つけ習いたいって、いったぞ」

「いつ？」

「小学校六年のとき。習いたいっていったじゃないか」

「そうだったっけ？」

「いった。オフクロ、自分が教えてやるみたいなこといって、結局、教えてくれなかっただろう」

「あー。そういえば、冬に、ゆかた着せたりしたことあったわね」

「ああ、ゆかたの着方だけ教えて、あとはなにも教えてくれなかったろう。まぁ、着物を着るっていえば、美容院へかけこむオフクロじゃ、あてにしても無理だって、すぐわかったから」

「着物なんて、ひとりで着れなくてもいいのよ。ゆかたを着られれば、じゅうぶんよ。まして、あなたは男の子なんだし。肇、まさか、ふり、ふり、……」

オフクロは、そこまでいって、ボロボロ泣きだしてしまった。

おれは、やっと、オフクロがピリピリしているわけがわかった。まったく、なにを考えているんだろう。おれは百七十八センチ、七十キロ。どちらかといえば、やせているほうだ。でも、小学校からつづけている水泳のおかげで、肩幅だけは、人並み以上ある。そんなおれに、どんなふりそでを着せようというのだ。

笑いだしたおれに、

「笑いごとじゃないでしょ！」

と、オフクロはどなりだしてしまった。

困ったなと思っていると、電話が鳴った。

むすこが着つけ教室にかよっているのは、自分がふりそでを着たいためではないらしいとわかって、涙だけはかわいたらしい。オフクロは、そこにすわっていろという目つきで、おれをにらむと、電話をとった。

「肇によ。お父さんから」

と、受話器をさしだす。

「肇か。明日だ。すぐ、来い」

オヤジはそういった。おれには、それだけですぐわかった。

「うん。今、いく」

おれは、もう、ジャンパーをつかんでいた。

「どこへいくの？　話は、まだ終わってないのよ」

「オヤジの店。着つけ教室にかようの、もうやめるから」

おれはそういうと、自転車にとびのった。タイミングがいいったら、ありゃしない。おれが着つけ教室へかよっていたのは、明日のためなんだ。

オヤジは、三年前に脱サラして、町はずれに小さなベンリ屋をひらいた。

「職をかえるのはしょうがないとしても、どうして、ベンリ屋なわけ？」

あのころ、オフクロはいつも不機嫌だった。

「おれは器用なだけで、なんの資格もないしな。まぁ、お客さんに信用してもらえれば、仕事はあると思うんだ」

と、自分の店を「信用堂」と名づけたオヤジは、それまでとは別人のようにはりきっていた。

無口で、人づきあいが苦手なオヤジに、会社勤めがあわないのは、オフクロもおれもわかってた。たったひとりだけの小さな店でも、好きなように働けて、オヤジはしあわせそうだった。そんなオヤジがうれしくて、おれは、学校が終わると毎日、オヤジの店に入りびたっていた。

三年前のあの日も、今日のように小雪が舞っていた。そしてやっぱり、山々には、もう雪が積もっていた。

コンクリートむきだしの床。小さな石油ストーブ。古道具屋から買った木の机と、ビニールばりの長いいす。おれとオヤジは、そのいすの上で、将棋ばかりさしていた。オヤジがはりきっているわりに、仕事はたまにあるだけで、おれの将棋の腕ばかり上がっていった。

あたりはもう暗くなっていたから、四時はすぎていたと思う。店のガラス戸がいきおいよくあいて、小雪といっしょに、女の人がとびこんできた。大きな女の人だった。

「ベンリ屋って、なんでもしてくれるってほんとう？」

と、どなるようにそうきいた。

よほど、いそいで来たのか、ほおが上気して、身体じゅうから湯気が上がりそうだった。髪はとても長かったが、ぼさぼさした感じで、着古したジャージーに、うすよごれたダウンコートをはおっていた。髪がみじかかったら、男の人とまちがえていたと思う。

「はい、なんでも」

オヤジがうなずいた。

「よかった。頼りにしてたおじいさんが死んじゃって、ほかにたのもうにも、知り合いなんていないのよ。家政婦紹介所へもいったんだけど、女ばっかり。わたし、女は、いやなの」

その人はそういうと、コートのポケットから紙をとりだして、

「住所はそこ。わたしの名前？　必要ないわ。家は一軒だけだから。明日朝、九時までに、来てちょうだい」

と、帰りかけた。

その人を、オヤジがあわてて、引きとめた。

「なにをすればいいんでしょう。準備もありますから」

「なにも持ってこなくていいわ。そうじしてもらいたいの」

その人は、そういって、

「あと、わたしの着つけと、髪を結いあげるのを手伝ってほしいの」

と、つけたした。オヤジは、

「着つけや髪を結うのは……」

と、口ごもった。

大工仕事も、電器製品の修理も、料理も、ミシンかけも、みんな器用にこなすオヤジだが、こんな仕事をたのまれるとは思いもしなかったんだ。

「なんでもしてくれるはずでしょう！」

その人は、まゆをよせた。

「美容院へたのまれたほうが……」

オヤジがいいかけると、

「女は、いやなの！」

と、その人はどなる。

「男の美容師もいます」

「着つけもできるのは、女ばかりだったわ。今日一日、さがしまわっていたのよ。もっとさがせば、男で着つけもできる人がいるかもしれないけど、もう時間がないのよ。引き受けるっていったじゃない。なにが、信用堂よ！」

その人は、だだっ子のように、足を踏み鳴らしだした。

石油ストーブの火力が、急に弱くなったような気がした。背中がぞくぞくしてきて、おれは、オヤジにすり寄っていた。

おれは、オヤジは、この仕事をことわるんだろうと思っていた。なのに、

「わかりました。なんとか、やってみましょう」

って、オヤジはいったんだ。

「なにが、信用堂よ！」といわれたのが、こたえたのかなって思ったが、その人が、どなりちらしながらも、ほんとうに困っているみたいだったからだと思う。

「よかった。明日、お見合いなのよ。急に決まったから、あわてたわ」

その人は、ちょっと、はずかしそうに笑った。

その顔は、おれにもかわいらしく見えた。そして、若い人だったんだと、そのときはじめて気がついた。

その人が帰って、住所を書いた紙をひろげてオヤジが、

「源太小屋《げんたごや》？」

と首をかしげた。そして、あっと口をあけた。

「こりゃ、高森山《たかもりやま》の源太小屋のことらしいぞ。たいへんだ。今から出かけないと、明日の朝までになんて、つかない。でも、あの小屋は源太じいさんが死んで、閉鎖されるかもしれないって、新聞に出てたような気がするんだがな。だいいち、冬は、源太じいさんが生きていたころから、閉鎖されているはずだ」

「それじゃ、あの人が、そのおじいさんのあとの人なんだろ」

「そうなんだな。まあ、本格的な冬って、まだいえないかもしれないし」

オヤジもおれも、そう思いこんだ。

「とにかく、準備だ。肇、父さん、これから家へ帰って、山登りの用意するから、おまえ、本屋へいって、なんでもいいから着物の着方がのっている本と、髪の結い

方がのっている本を買ってきてくれ」

オヤジは、おれにそうたのんだんだ。

おれは、オヤジといっしょに、高森山へ登った。次の日は日曜日だったし、オヤジも、たったひとりで出かけるのは、不安だったらしい。

高森山は、おれの町のあたりでは、高いほうの山だ。めずらしい高山植物も豊富だし、伝説のある沼もある。だから、夏には、たくさんの登山者がいる。でも冬は、ほんとうに登山が好きな人でなければ、すこしきついコースだ。

車でいけるところまで登って、車の中で夜明かしをした。おれもオヤジも、高森山の八合目にある源太小屋へ、朝の九時につくことばかり気にかかった。着つけや髪を結いあげる手伝いもすることなんて、すっかり忘れていた。

夜明けといっしょに、おれとオヤジは八合目まで登った。雪がもう積もっていたが、すっきり晴れあがった天気のいい日で、九時前に源太小屋へついたときは、汗ばむほどだった。あんな登山日和だったのに、山でだれにも会わなかった。あとで聞いたら、五合目から下は大吹雪だったんだそうだ。

源太小屋は、簡単な炊事場と、広い板の間だけの建物だった。戸も窓も大きくあけはなたれ、昨日の女の人が、板の間で着物をひろげていた。朝焼けと同じ朱色の着物だった。あの色、今でもまだ覚えている。

オヤジがそうじ、おれは、小屋の裏で、ドラム缶の風呂たき。

あの人が風呂へ入っている間に、おれとオヤジは、買ってきた本をひらいた。髪は、おだんごに、帯は、いちばんふつうのむすび方と書いてあったので、「おたいこ」という形にすることにした。

おれもオヤジも、手先は器用なほうだと思う。はじめてのわりに、きれいにできたといいたいところだが、おせじにも、そうはいえなかった。あの人の大蛇《だいじゃ》のような髪は、何十本ものピンで、チベットのお寺のように頭の上へそびえ立った。なんとかしめた帯は、スルメイカのように背中に貼りついた。そのうえ、着せ方が悪いせいか、あの人は、苦しそうだった。

でも、きれいだった。昨日、男の人みたいに見えたのが、うそのようだった。オヤジもそう思ったはずだ。でも、オヤジは、

「料金は、いりません」

といった。おれもそう思った。これじゃ、信用にかかわる。

「でも、なんとかなったわ。わたしひとりじゃ、この着物、着られなかったもの。わたし、きれいな着物って、これしか持っていないんだから」

あの人は、朱色の着物を着られただけで、うれしいらしかった。あまりうれしそうなので、おれもオヤジも、ますますうなだれてしまった。

そのとき、おれは、もっときれいに着せてやりたいって思った。ほんとうにそう思った。だから、

「こんどは、もっときれいに着つけさせてください。おれ、練習してきます」

って、大声でいってた。お見合いだっていうのに……。

あの人は、むっとしかけたが、ふふっと笑ってくれた。そして、帰りかけたおれに、

「こんどは、ふくら雀《すずめ》にしてよね」

といったのだ。

あのとき、おれは、なにをいわれたのかわからなかった。でも、そのあと月先生におそわった。ふりそでを着たとき、帯はふくら雀にしめるんだそうだ。とくに、大柄な女の人には、似合うんだって。

山をおりるとき、オヤジが、

「あの人、山の神じゃないよなぁ」

とつぶやいた。おれも、山の神かもしれないと思ったけど、なにもいわなかった。

あれから、源太小屋がどうなっているか、わからない。高森山の近くに、舗装《ほそう》されたハイキングコースができて、みんな、そこから高森山へ登るようになったからだ。山小屋も、源太小屋とは反対側の尾根《おね》に、新しく建てられた。そして、おれもオヤジも、あのときのことは、一度も口にしたことはない。もちろん、

「着つけ教室にかよっているのか？」

なんて、オヤジはききもしない。おれだってなにもきかない。でも、オヤジが、

美容学校へかよっていることを知っている。たまに、オフクロがパーマをかけたときみたいな、においをさせているときがあるからだ。

なにもいわないが、今日、オヤジはおれをよんだ。オヤジは、むすこを信用していたわけだ。これで、「信用堂」は、信用をとりもどせる。おれは、ふくら雀にだろうが文庫にだろうが帯をむすべる。袴《はかま》のひもだってむすべる。オヤジだって、あの長い髪を、どんなかたちにだって結いあげてやれるはずだ。

「また、見合いなのか？」

おれが店の戸をあけると、登山靴のひもをむすんでいたオヤジは、

「いいや。結婚式だそうだ」

と、ほほえんだ。

父さんのお助け神さん

父さん、このごろへんだ。

正《ただし》は、目玉焼きをつついているパジャマ姿の父さんを見た。いつもなら、出勤十分前まで、ふとんにもぐっているのに、ここ数週間、正が起きてくるころには、もう朝刊をひろげている。

昨日だって、酔っぱらって帰ってきたのは午前二時だ。期末試験で、めずらしくそんな時間まで机にしがみついていた正は、

「こりゃあ、明日の朝、母さんの機嫌悪いぞ」

と、思ったのだから。母さんは、ゆすろうがたたこうが、つねろうが、ぜったい起きようとしない二日酔いの父さんが、大嫌いなのだ。

なのに、母さんは、鼻歌を歌いながら、パンにバターをぬっている。ということは、父さんは、母さんに起こされないでも起きてきたらしい。

毎朝、父さんを見て、

「もう、下品なんだから」

と、うすい鼻にしわをよせる姉ちゃんも、バッチリ口紅をぬった口に、ヨーグルトをつめこむだけで、なにもいわない。いわないはずだ。早起きしだした父さんは、目玉焼きの黄身に口をつけて、チュッとすすったりしないんだ。

父さんは、また、あくびだ。ねむれなくて早起きしてるんだろうか。身体の調子が悪いのかもしれない。顔色も悪いような気がする。

でも、具合が悪いのか？　なんて、気恥ずかしくて正にはきけない。母さんぐらいは、父さんの体調に、気をくばってやればいいのに……。

そう思いながら、正はなにもいわないで立ちあがった。苦手な英語の試験日だ。早めに学校へいって、昨日の夜おそくまでかかってかけたヤマが、あたっているかどうか、だれかに、たしかめなきゃいけない。ここで、がんばっておかないと、志望校が遠くなる。中学三年生は、とにかくつらい。

英語が、まあまあのできだった正は、すきっ腹をなだめながら家へいそいでいた。せっかく午前中で家へ帰れるというのに、明日も試験では、食べることしか楽しみがない。

家へ帰れば、母さんが、なにか食べるものを用意していてくれるのはわかっているのに、ハンバーガーショップが気になる。

ああ、うまそう！　と、ガラスばりの店へ目をやった正は、自分の目をうたぐった。その店の中に、父さんを見つけたのだ。

高いテーブルにもたれて、ぼんやり立っている。手に持ったハンバーガーから、チーズがたれさがっているのにも、気づかないようだ。

ほんとうに父さんか？

正は、店のガラスに貼りついていた。

父さんだった。父さんの誕生日に、姉ちゃんと正とで贈った、時計をしている。はでなダイバーズウォッチで、ビジネススーツには似合わないっていっても、うれしがって毎日会社にその時計をしていくのだ。

こんなところまで、昼ごはんを食べに来ているはずがない。父さんの会社まで、電車で一時間はかかる。ここまで来ているなら、家で食べるほうがいいに決まってる。それに、父さんはいつも、昼めしは社員食堂にかぎるって、いっていたはずだ。

正は、いつか見たテレビドラマを思い出していた。とっくに会社をやめさせられているのに、それを家族にいいだせないで、毎日会社へかようふりをしている男の悲喜劇だ。

父さん、あのドラマと同じことしてるわけじゃないよな、とは思う。でも、ハンバーガーを持った父さんの目は、ガラス窓へむけられている。その窓にむすこの正が貼りついているというのに、気がつきもしない。

正は、思わず、ガラスをたたいていた。父さんじゃなくて、父さんのまわりにいたほかのお客さんが、正に気づいた。正が父さんを見ているのを見て、父さんをつついてくれる。それでやっと、父さんは、正を見つけた。

父さんは、「オッ」と声を出したようだ。そして、ほんとうにうれしそうに、なぜか、ホッとしたような顔で、正に手をふる。

正は、よほど緊張していたらしい。涙がにじみそうな自分におどろきながら、店へ入った。

「なにしてるんだ？」

というと、父さんは、

「これ、食おうと思って」

と、のんきなことをいう。

「こんな時間に、こんなとこで、なにしてんだ？」

正の口は、とんがってしまった。

父さんは、正の顔をまじまじと見た。そして、

「おまえ、じいちゃんに似てるんだな。おれがはじめてタバコを吸ったとき、じいちゃんに見つかってな。おれをどなったじいちゃんの顔に、おまえ、そっくりだぞ」

と、目を見はった。

それを聞いた、まわりのお客さんたちが、プッと笑いだしてしまった。

「いいから、来いよ！」

正は、ハンバーガーをにぎった父さんを、ひきずるようにして、店を出た。

「おこってるのか？」

父さんが、首をかしげている。

「会社、どうしたんだ？　なんで、あんなとこで、ボーッとしてんだ？」

そういうと、父さんは、やっと正がプリプリしているわけがわかったらしい。

「そうか、心配してくれたのか。そりゃ悪かったな。会社の健康診断でな、病院へいった帰りなんだ。さぼってるわけじゃない」

「どこか悪いのか？」

「再検査の結果ききにいってきたんだ。健康体だって、太鼓判《たいこばん》おしてもらった」

父さんは、ニコリとした。それを見て、正も、やっと安心した。

なのに、父さんは、ため息をつくと、

「正に相談してみるか」

と、つぶやいた。

めずらしく午後から会社を休んでしまった父さんと正は、デパートの屋上のベンチにすわりこんでいた。正は、父さんのにぎっていたハンバーガーのほかに、たこ焼きや、焼きそばまでかかえこんでいる。

相談ってなんだろう。正は、たこ焼きをほおばりながら、タバコばかり吸っている父さんを見た。

身体の具合が悪いわけでも、会社に電話したようすを聞けば、会社のことでもないらしい。残るは家のことか？　まさか、母さんと離婚したいなんていうわけじゃないだろうな。正は、たまに、「クソババア！」なんて悪態《あくたい》をついてしまいたくなる母さんを思いうかべた。口うるさいし、性格はきついし、すっかりオバサンだ。でも、離婚したくなるほど、ひどい母さんじゃないはずだ。姉の咲《さき》は、短大を卒業して、まあいい会社に勤めている。化粧がはでなぐらいで、そう問題はないと思う。それじゃおれのことか……。

正がそう思ったとき、二本目のタバコに火をつけた父さんが、やっと話しだした。

「あのなぁ、父さんな、ものすごく気が弱いんだ」

なにかと思えば、そんなことをいう。

「父さんがか？」

正は笑いだした。父さんは、いつも強気だ。いつも、バリバリしているのが正の父さんだ。だから、今日みたいに、気の抜けた父さんに正はおどろいたのだ。

「父さん、強気のふりしてるだけなんだ。小さいころから、泣き虫のいじめられっ子でな、自分でも、なさけなくなるぐらいなんだ。ドジっていうか、ぶきっちょっていうか、みんなといっしょに、なにかしなきゃいけないっていう前の日なんて、ねむれなくてなぁ」

と、ため息をつく。

「そんなこと、だれにでもあるだろ。おれだって、そんな日あるぞ」

正は、そんなとき、いつも父さんが「おれのむすこだ、大丈夫だ」って、いってくれるんだろと、いいたいのをこらえた。はじめての運動会の日も、スイミングスクールの進級試験の日も、父さんがそういって、ドンと肩をたたいてくれる。そうしてもらうと、正は、うん、大丈夫だって思えた。そしていつも、自分が思っていたより、なんでもよくできた。

「だれにでもあることかもしれない。でも、お助け神さんを持っているのは、父さんだけだ」

父さんは、「おたすけがみさん」とよんだ。みょうに親しげにだ。正は、父さんの背中にでも貼りついているのかと、ふりかえってしまった。

「なにさ、それ？」

と、ききながら、父さん、ノイローゼとかいうのじゃないのかと、思いはじめていた。

「なんでもうまくいくように、助けてくれる父さんだけの神様なんだ。小学校の三年生の夏休みだった。肝《きも》だめしっていうのがあった。三年生から、全員参加と決まってな。父さん、前の年から、肝だめしの日には、腹がいたいことにして、寝こむことに決めてた」

正は、そんな父さんのなさけない子ども時代に、にやりとしてしまった。正や姉ちゃんが、そんなことをしようものなら、どなるに決まってる。これじゃ、いいだしづらいはずだった。

「ところが、そうしようと思ってることを、仲間に見やぶられてな。肝だめしに来ないと仲間に入れてやらないって、おどかされたんだ。おれが泣きだすとこを見て、笑いものにするつもりだったらしい」

「そんな仲間に、入れてもらわなくていいだろ」

正は、口をとがらせた。

「おまえも咲も、性格は母さんに似てて、よかったな」

父さんは、ため息といっしょにそういう。正は、母さんも姉ちゃんも、気が弱いとはいえないとうなずきかけたが、

「おれは、姉ちゃんにくらべりゃ、めそめそしてるほうだ」

と、うなだれてしまった。

「いいや、父さんの小さいころにくらべりゃ、正はたいしたもんだ。肝だめしの日の父さんなんて、歯はガチガチいうし、足もガタガタしてて、歩けるのがふしぎだった。お寺の境内《けいだい》に集まって、墓場を通って、裏にある林の中にある神社に、自分の名前を書いた小石を置いてくるっていうのが肝だめしのコースだったんだ。父さん、林までは、なんとかいった。墓場には、寺の境内にいる子どもたちの声も聞こえてたし、明かりもとどいてた。でも、林まで来ると、シーンとして真っ暗だ。父さん、こわくて、もう一歩も進めなくなってた。笑われてもいい、引き返そうと思ったときだ。だれかに足をつかまれたんだ。父さん、悲鳴をあげて、腰を抜かしてた」

「上級生が、おどかし役で、かくれてたんだろ」

「ちがう。いや、かくれてはいたらしい。でも、上級生がかくれていたのは、神社のうしろだ」

「それじゃ、父さんの足つかんだのだれさ？」

「それが、父さんの、お助け神さんだった。腰を抜かした父さんは、お助け神さんをしりにしいてたんだ。しりの下から『どけ、どけってば！』って声がした」

「ほんとかよ？」

正は、かつがれているんじゃないかと、父さんを見た。父さんはまじめな顔をしている。

「ほんとだ。近くの山にすんでる神さんでな。肝だめしを毎年、楽しみにしてたんだ。父さんにしたように、足をつかんだり、背中にとびついたり、声を出したりして、肝だめしをしてる子どもをからかって遊んでたらしい」

「父さん、気が弱くなんかないじゃないか。そんなやつと、しゃべってたんだろ」

「こわいから、しゃべってたんだ。闇《やみ》の中に、たったひとりでいるより、だれかにそばにいてほしかったんだ。髪はぼうぼうで、きたない着物みたいなもの着てたけど、五歳ぐらいの子どもにしか見えなかったんだ。そいつが、ふるえている父さんを見てな『おまえ、神社までいけないな』っていうんだ。キンキンした子どもの声だった。よほど、父さんが、かわいそうだと思ったんだろうな。父さんが、うなずくと『いっしょにいってやろうか』っていうんだ。父さん、ほんとうにうれしかった」

「おれだったら、そんなやつといっしょにいくほうが、こわいと思うけどな」

正は、ウーンとうなってしまった。

「おまえたちは、どんなものより人間のほうがこわいことを知っているからな。あのころの父さんは、闇の中にいるお化けや幽霊のほうが、人間の子どもに見える、あいつよりこわかったんだ。あいつは、無邪気な子どもみたいだった。父さん、子どもでもなんでも、いっしょにいってくれればそれでよかった。たのむってうなずいてた。そしたら『なにくれる？　おまえの大事にしてるもの、なんでもくれるか？』ってきくんだ。父さん、またうなずいてた。すると『それじゃ、あとでもらいにいくからな』っていったんだ」

「料金後払いか。そういうのって、ヤバいんだろ」

「ああ。でも、そのときは、いっしょにいってもらえさえすれば、なんでもさしだすつもりだった。あいつは、父さんの手をとってさきに歩きだした。父さん、もう、なにもこわくなかった。神社に小石を置いて帰ってくるのなんて、あっという間だった。お寺の境内のとこまで来ると『あとでな』って声だけして、あいつは、いつのまにか消えてた。声だけ、はっきり聞こえた。聞こえてもよかった。みんな、泣きださないで帰ってきた父さんに、びっくりしてたから」

「よかったじゃないか」

「それがよくないんだ。家へ帰ったら、父さんが大事にしてた切手のシートがぜんぶなくなってた」

「なくしたんだろ。偶然だ。そう思いこんでしまっただけだろ」

「父さんだって、そのときは、偶然だって思ったさ。お助け神さんが、ほんとうにいるなんて思わなかった。あんまりこわくて、自分で、ああいう神様をつくりだしてしまったと思ってた。でも、ちがってた。それからも、かならず、『あとでな』って声が聞こえて、大事なものがなくなったんだ」

正は、それからもって、どういうことだと、父さんを見た。

「父さん、それから、なにかあるとお助け神さんに頼るようになってたんだ。野球をしてて、ボールが父さんのほうへとんできたときも、たて笛の試験の日も、川でもぐりっこしたときも、心の中で、お助け神さんにたのんでる。すると『あとでな』って声がして、みんなうまくいっちまう。そして、かならずなにかなくなるんだ。水鉄砲も、自転車も、時計も、本も」

「偶然だってば。だれだってそんなことしてるさ。神様仏様……、……がうまくいきますようにって、困ったときの神だのみっていうんだろ。おれだって、今まで、神社なんて素通りだったけど、このごろは、入試がうまくいきますようにって、手ぐらいあわせるかななんて思うもの」

正は、そんなことを気にしてるなんて、父さん、ほんとうに気が弱かったんだなと思った。

「父さん、高校入試のときもたのんだんだ。昔のことをいろいろ思い出してみたんだが、『あとでな』の声が聞こえなくなったのは、あのころからだ。大学入試も入社試験も、母さんにプロポーズしたときも、おまえたちが生まれるときも、ここぞっていうときは、かならずお助け神さんにたのんでた。でも、声は聞こえなかった。聞こえなかったが、みんなうまくいった」

「それは、父さんの運命っていうか、実力っていうか、たのんでもたのまなくても、そうなることに決まってたんだろ」

「父さんも、そう思ってた。お助け神さんのことを思い出したときでも、自分でも、想像力豊かな子どもだったんだなぁ、なんて思ったりしてな。ところが、またしばらくぶりで『あとでな』の声を聞いてしまったんだ」

「ふーん。それじゃ、今まで、そいつ、ほしいものがなかったんだな。今は、父さんが持ってるものの中に、ほしいものがあるってことだろ」

正はそういって、

「父さん、お助け神さんとかに、なにたのんだんだ?」

と、父さんを見た。

「一ヵ月前、会社の健康診断があってな、父さん、再検査だったんだ」

「でも、なんともなかったって、さっきいってたじゃないか」

「たのんだのは、検査結果を聞く前なんだ。病院で結果を聞く順番を待ってたら、こわくなってな、つい、お助け神さんにたのんでた。『なんでもありませんように』ってな。そしたら、ほんとうにひさしぶりで、あの声がしたんだ」

「それじゃ、なんでもくれてやればいいだろ」

そんなことで、しょんぼりしてたのかと、正はあきれてしまった。

「そういうわけにいくか！」

父さんは、こぶしをにぎりしめた。近くにいた人が、びっくりしてふりむいたほどの声だった。

「父さん！」

正は、真っ青になってふるえだした父さんを見て、おろおろしだした。

「あいつは、父さんがほんとうに大事にしているものを、持っていってしまうんだぞ！」

父さんの目に、涙がたまっている。

「どうして、あいつになんて、たのんだりしたのかな。自分がなさけなくて、会社になんておれるもんか。なんとか、ここまで帰ってきたんだが、こんどはこわくて、家へ帰ることもできないんだ。正は、ここにいるから、おまえではないことはわかった」

それを聞いた正は、やっと父さんが、なにを心配しているのかわかった。ハンバーガーショップで正を見つけた父さんが、みょうにうれしげで、ほっとしたようすだったわけだ。

「いいかげんにしろよ。考えすぎに決まってるだろ。おれ、試験中なんだ。そんな、いもしない神さんの話なんて聞いてるひまねぇんだ」

正は、うかない顔の父さんの背中を、いつも父さんが正にしてくれるみたいに、ドンとたたいた。父さんがやっと立ちあがる。

気が弱いにもほどがある。びくびくしすぎるから、そんな声を聞いたような気がするんだ。家に帰って、テレビを見ながらあくびしてる母さんを見れば、父さんの、心配なんて吹きとぶに決まってた。姉ちゃんだって、花金だからカラオケに寄ってくるって、電話してくるだけだ。正は、本気で、なさけない父さんに腹をたてていた。

家へ帰ると、テレビを見ているはずの母さんは、しゃかりきになって料理をしていた。

「ほらな。母さん、ちゃんといるだろ」

正は、台所まで父さんを引っぱっていった。

「お父さん、会社に電話したんですよ。正といっしょだったんですか？　午後から休んだなんていうし、連絡がないから心配しちゃったわ。でも、早く家へ帰ってきたんだから、いいか。やっぱり、虫が知らせたのかしら」

母さんは、煮物の味をみながらそういう。

「虫が知らせた？」

父さんと正は、声をはりあげると、

「姉ちゃんか？」

「咲になにかあったのか？」

と、母さんを見た。母さんは、あれっというように舌を出すと、

「なんでもありませんよ。じゃまじゃま」

と、ふたりを台所から追いだしてしまった。

「なっ、なにも、悪いことなんておこらないんだから」

正は、父さんにそういった。父さんは、

「そうだろうか？」

と、台所を見てまだ、ぐずぐずしている。

「気のせいだってば。お助け神さんなんて、いないんだから」

正は、そういうと、もう父さんになんてかまっていられないと、二階の自分の部屋へとじこもった。

おなかがすいて、下へおりると、ずいぶん豪華版の食事がならんでいた。

「なにかあるのか？」

と、父さんたちの部屋をのぞきこむと、父さんは、めずらしく着物に着がえさせられている最中だった。

「その時計は、はずしてくださいよ。着物に似合わないから」

という母さんも、化粧しなおして、買ったばかりのブラウスに着がえている。

「お客さんなのか？」

と、正がきいて、父さんが、わからんと首をふったとき、玄関のチャイムが鳴った。母さんは、父さんの帯をほうりだして、とんでいく。そして、すぐ、

「お父さん、正」

と、よぶ声がした。

正と父さんがもつれあうようにして、玄関へ顔を出すと、姉ちゃんと、見知らぬ若い男の人が立っていた。姉ちゃんは、すました顔で、

「同じ会社の山口《やまぐち》さん」

と、その男の人を紹介した。父さんも正も、その山口さんも、モゴモゴいいながら、頭をさげた。三つの頭が、まだあがらないうちに、

「どうぞ、どうぞ」

と、母さんは、頭をさげたままの山口さんを、家へあげてしまった。

そして、ぼんやり玄関に立ったままの父さんと正に、

「結婚の申し込みらしいのよ」

と、ささやく。

「き、き、聞いてない！」

父さんが、やっとそういった。

「わたしだって、聞いてませんよ。昼休みに咲が電話をかけてきて、今日つれてくっていうんだもの。あわてちゃったわ」

母さんは、口ではそういうものの、うきうきして見える。

「若すぎるだろ。咲は、まだ、二十二だぞ。それになんだ。あいさつもろくにできんし、ひょろひょろして、軟弱なやつじゃないか！」

父さんは、真っ赤になっておこりだしてしまった。

「よさそうな人じゃないですか。やさしそうで。お父さん、あたまから反対なんてしないでくださいよ」

母さんはこわい顔でくぎをさすと、

「さぁ、すわって、すわって」

と、にこにこしながら、居間へ入っていく。

「あっ、これだ！　これだったんだ。お助け神のやつ！」

父さんは、こぶしをにぎりしめて、そういった。

父さんは、あれからずっと、姉ちゃんの結婚話が持ちあがったのは、お助け神さんのせいだと思いこんでいた。

正は、姉ちゃんの縁談とお助け神さんは、関係ないことを知っていた。父さんは、

「どこかに、置き忘れた」

といっているが、あの夜、着物を着た父さんの腕から、あのはでな時計が、スッと消えるところを正は、たしかに見たのだ。父さんのお助け神さんは、ほんとうにいた。

でも、正は、そのことを父さんに、ないしょにしている。父さんのことだ。お助け神さんのほしがったものが時計だったなんてわかったら、姉ちゃんの縁談をこわしてくれるように、またたのみかねないからだ。

鏡よ、鏡……

うちの洗面所には、鏡がふたつある。ひとつは洗面台についているありふれたやつ。もうひとつが、洗面台のとなりにかけられた木彫《きぼ》りの花模様がごてごてとついた楕円形《だえんけい》の鏡。ぼくが「白雪姫の鏡」とよんでいるやつだ。せまい洗面所に鏡がふたつもいりはしない。それに、父さんとぼく、男ふたりだけの生活に「白雪姫の鏡」は不似合いだったらありゃしない。といっても、ふたりだけだから、この鏡がふえてしまったのだけれど……。

父さんは朝六時に起きる。ひげづら、寝ぐせのついた頭、パジャマのままで台所に立つ。幼稚園のころから朝ごはんは、目玉焼き、納豆、とうふのみそ汁、漬物と決まっている。卵をわり、とうふを切りながら、父さんは洗濯機をまわす。そして、その合間に、

「淳《じゅん》、起きろ、起きるんだ！」

と、二度だけさけぶ。

習慣とはおそろしい。ぼくは父さんが二回目に「淳」とよんだとき、がばりと起きあがる。

パジャマのズボンを引っぱりあげながら台所へ出ていくと、朝ごはんがテーブルにならんでいて、洗濯機は脱水に入って、うるさく体をゆすっている。

父さんは新聞を見ながら、ぼくはテレビを見ながら、朝ごはんを食べる。しょうゆを手わたすタイミングも、漬物の鉢《はち》へはしをつっこむタイミングも、秒きざみにはかったみたいに毎日同じ。工場のロボットの手のように、すれちがい、かちあうことはない。声をかける必要などない。ぼくがいうのは、

「ごちそうさま」

の、ひとことだけ。

洗面所で歯をみがき、着がえをして、学校へいくしたくをする。父さんは、食事のあとかたづけをしてるか、洗濯ものを干している。

「いってきます」

というぼくに、「おう」とか、「ああ」とかうなる。

父さんは、ぼくが学校へ出かけると、そうじをして、ひげをそって、着がえて、下にある店へおりていく。ぼくんちはおじいちゃんの代からの毛糸屋で、一階が店で二階が住まいになってるんだ。

父さんが店のシャッターをあけるころ、じいちゃんのころから勤めている村野《むらの》さんが、自転車に弁当つけてやってくる。

父さんも村野さんも、どう見ても商売人にはむかない。お客が来ても、

「いらっしゃいませ」

といったきり、だまってる。お客さんに、お愛想《あいそ》をいうどころか、にっこりするところなんて見たこともない。

あんな無愛想な男ふたりがやっている毛糸屋が、よくつぶれないもんだと、商店街の七不思議のひとつにあがって、不動の一位だ。

つぶれないわけは、父さんも村野さんも、編み物をする。毛糸屋なんだから、当たり前といえば当たり前なんだけど。ふたりとも、とにかく編み物がうまい。いま

だにぼくのセーターは、みんな父さんの手編みだ。クラスの女の子たちやそのお母さんたちにまで、人気がある。新しいセーターを着て学校へいくと、かならずお母さんたちが、店に来て毛糸を買い、その編み方をきいていく。ぼくは、店の売り上げに貢献《こうけん》しているわけだ。

お客さんにしたら、センスのいい見本がかざってあって、編み方の適切なアドバイスが受けられて、品物を何時間見てても、店員さんがうるさく近寄ってこない毛糸屋っていうのは、居心地がいいんじゃないだろうか。店の奥で男ふたりが、編み棒を動かしている姿を見なければだけど。

ぼくは学校から帰ると、塾のない日は夕食の買い物にいく。たいてい、肉屋のメンチかコロッケ、魚屋の干物《ひもの》、あとはラーメン屋から出前をとる。

父さんは、七時に店をしめる。ぼくも手伝う。ぼくのおなかのつごうで、さきにひとりで夕飯をすませているときもあるし、いっしょに食べるときもある。朝と同じ風景。

「ごちそうさま」

の、ぼくのひとことでおしまい。

夜の九時には、ぼくも父さんも風呂からあがってる。父さんは、風呂からあがると、「白雪姫の鏡」の前に立つ。鏡を見ながら、口の中でぶつぶついう。ぼくは、きちんと見たことがないというか、見たくないから見ないのだけれど、きっと、

「鏡よ、鏡……」

とか、いってんだと思う。これは儀式だ。そして、父さんは「白雪姫の鏡」の前で、母さんに変身する。夏は、パンツいっちょの母さんに。

「淳、宿題やったの？」

「塾の先生から電話があったわよ。算数の成績落ちてるって。ファミコンばっかりしてるからじゃないの」

「日曜日のサッカーの練習、明弘《あきひろ》くんのお父さんが車でおくってくれるって。ユニフォーム洗ってたんすに入れといたし、新しいソックスも入ってるから、きちんとはきかえていくのよ」

ひげづらの母さんは、しゃべりまくる。

いっそのこと女装してくれたほうが気味が悪くないかもと、思ったこともあった。でも、もう、慣れた。

「今日はなんの本にする。ひさしぶりで『十五少年漂流記』にしようか。あの本大好きだもの。たまには図書館からなにか借りてくればいいのに。『怪盗ルパン』なんか、わたしが淳ぐらいのとき、夢中になって読んだわ」

ひげづらの母さんは、毎晩かならず、寝る前に本を読んでくれる。

去年、けんか腰で、やっと、寝る前の子守歌はかんべんしてもらった。でも、母さんに変身することと、本を読んでくれることだけは、ぜったいやめようとしない。よほどこたえているらしい。

母さんは、——ひげづらじゃない母さんのほうのことだけど——、ぼくが幼稚園に入ってすぐ、家を出ていった。父さんとぼくを置いて。

捨てられたのに、ぼくは母さんが恋しかった。母さんのそばにいたかった。父さんなんて、大きらいだった。母さんが出ていったわけなんて知らないのに、父さんが悪いから、ぼくがひとりぼっちになったと思った。まわりの大人の話を、聞きかじっていたんだと思う。

「男は無口のほうがいいっていうけど、程度問題よね。近所に住んでて声もろくに知らないのよ」

となりの本屋のおばさんは、今でも父さんのことをそういう。

泣いてばかりいた。ぼくを抱きしめようとする父さんの手から、逃げまわった。母さんがいない。母さんがいないとねむれない。ぼくは何日も、ふとんを頭からかぶって枕をぐしょぐしょにぬらしていた。それで父さんが「白雪姫の鏡」を買ってきた。変身がはじまったんだ。

「泣かなくていい。今日から父さん、母さんになる。夜、淳がねむるまで母さんになるから、それでがまんして」

言葉つきのぎごちない、思いつめた顔の、ひげのある母さんだった。今思い出すと、気持ち悪くて、笑いたくなるが、あのときは腹がたって、どうしようもなかった。

「父さんじゃないか！」

ふとんをはねのけようとしたぼくを、ひげのある母さんは、ふとんの上から無理矢理おさえこんだ。

「母さんなの。母さんになるの。母さん、がんばるんだから」

ひげづらの母さんは、かすれた声で子守歌を歌った。子守歌のつもりらしかったけど、ぼくにはなんの歌なのかわからなかった。悲しくて、泣いているみたいな歌だった。それでもぼくは、寝てしまったんだ。

父さんは、毎晩「白雪姫の鏡」の前に立った。無口な父さんが変身するために、鏡の前で呪文《じゅもん》をとなえてたんだと思う。あの鏡に助けてもらったわけだ。

だんだん、ぼくも父さんの変身に慣れていった。父さんにふたりの人格があるんだと思えてきた。それが当たり前になって、父さんにいうことと、ひげづらの母さんにいうことをわけたりするようになった。父さんも、ぼくにうまく伝えられないことでも、母さんになると話せることがあったりする。

「父さん、ああいう性格なんだから、しょうがないって思ってやろうね。でも、淳のこと大好きで、とってもたいせつで、守ってやりたくて、毎日楽しく暮らさせてやりたいって思っているのよ。でも、うまくいえないんだと思う」

なんて平気でいう。いってるほうもいわれてるほうも、あとで考えれば真っ赤になってしまうようなことでも、ひげづらの母さんに慣れてしまったぼくは、

「うん、わかってる」

なんて、うなずいてしまう。

ぼくと父さんのために、あの鏡はたしかに必要だった。でも、もういい。ぼくは父さんのこと、わかってると思う。なのに父さんは、母さんに変身することをやめない。まだ母さんにならないと、塾のことや友達のことや学校のことを、ぼくにきけないんだろうか。ぼくは今なら、納豆をかきまぜながらでも、店じまいしながらでも、父さんにきかれたらすなおに話せると思うのに。

「どうして？　わたしだって楽しみにしてるんだから、読ませてよ」

「ほんとにいいんだ！」

「そんなこといってないで、さぁ、ベッドに入って」

ひげづらの母さんは力が強い。ぐずぐずしてると、ベッドにほうりこまれる。母

さんとレスリングして、一回も勝ったことのない小学六年生なんて、きっとぼくぐらいだ。

ぼくは、いじわるをすることにした。

「父さんが春に編んだセーター、売れないね」

「どのセーター？」

「サーモンピンクのモヘアのやつ」

「あれ、見本だもの」

「見本だって、季節はずれになれば、いつもバーゲンに出すじゃないか」

「秋にサーモンピンクだって、おかしかないわよ」

「へぇー。品物入れかえて、シックで枯《か》れ葉色《はいろ》って店の中で、あれだけういてるよ」

「アクセントになっていいの」

ひげづらの母さんは、なかなかしぶとい。

村野さんが、首をかしげてた。父さんがあのセーターを売りたがらないって。あのセーターを見ているお客さんがいると、そそくさと奥にしまってしまう。そのまましまうのかと思えば、また店にかざる。あのセーターを買ってもらいたいだれかがいるみたいだって。

「あのセーター、そでの長さがちぐはぐなのよ」

ひげづらの母さんが、やっとそういった。そろそろ、はっきりさせてもいいころだとぼくも思う。

「通りのむこうのピアノ教室の先生、学生のとき、テニスしてたんだってね。市販のセーターだと、右そでがみょうにみじかいような気がして、おちつかないって、笑ってたよ」

「ふーん」

「そうだよ。父さんも、聞いていたはずなんだけどな。あの先生、いつも紺とかグレーの糸ばっかり買ってくけど、ぼく、サーモンピンク、似合うと思う」

せっかく、そこまでいってやってんのに、ひげづらの母さんは、

「今日は、『ロビンソン＝クルーソー』読もうか」だって。

「白雪姫の鏡」は、やっぱりまだ、もうすこし、必要だってことらしい。

父さんの宿敵

「あいつ、あったまにくる！」

小学三年生の弟が、ほおにひっかき傷をつくって、足音もあらく帰ってきた。

また、となりのクラスの宮田《みやた》とかいう子とけんかしてきたらしい。わたしは、たなから救急箱を出してやった。

「母さん、いないの？」

弟は、単身赴任先の仙台から、予定より早めに帰っていた父を横目で見ながらきく。宮田くんの悪口をいいたいらしいが、「ふーん、負けてきたのね」という目つきのわたしにも、二、三ヵ月に二日ぐらいしか家にいない父にも、いいづらいらしい。

「母さんは、夕飯の買い物」

と、わたしがいうと、弟は、つまらなそうに、ほおにばんそうこうを貼りだした。

「けんかしてきたのか?」

父が、新聞から顔を上げた。

「うん。あいつ、あったまにくるんだ」

弟は、身体の半分を父にむけて、ふくれてみせた。母になら「あいつがこうガンとばしたから、おれがこうにらんで」と、しゃべりまくるのに、ひとこといったきりだ。

夜にならなければ帰ってこないと思っていた父がいるので、てれているらしい。父のほうも、てれているむすこに気がついて困ったような顔をしている。母なら、ふたりの緊張をうまくほぐしてやるんだろうが、わたしは、ただおもしろがって、そんなふたりを見ているだけだ。

弟が、ちらりとわたしを見た。父も、わたしをちらりと見る。わたしは、すましたまま。弟は、立ちあがろうとした。

「そいつ、おまえの宿敵なのか?」

父が、あわててそうきいた。なにか話しつづけないと、まずいと思ったらしい。

「宿敵って？」

弟が、すわりなおした。父さん、一ポイント！　わたしはにやりとした。これから、男どうしの交流というのがはじまるところらしい。わたしは、ソファにしずみこんで、なりゆきを見ることにした。

「宿敵っていうのはだなあ、宿命の敵ってやつだ」

「宿命って？」

弟は首をかしげたうえに、まゆまでよせてしまった。また、立ちあがりたそうに、もじもじしだした。

「まあ、おまえにも、そういうやつがいるわけか」

父は、そうつぶやいてにやりとした。交流しようとしたことなど、どうでもよくなったらしい。わたしは、父のにやりが気になった。弟も気になったらしい。

「父さんにも、いたの？　その宿敵ってやつ」

弟がきく。本格的に男どうしの交流ってやつがはじまった。

「どんなやつ?」

弟は、父のほうへ身体をむけた。

「父さんの宿敵は、すごいやつだったぞ」

父は、読んでいた新聞をたたみだした。

「父さんが宿敵と会ったのは、団地の中の公園だった。おれもあいつも、生まれたときからその団地に住んでいたのに、そのときまで、おたがいのことを知らなかった。父さんは、三人兄弟の末っ子だろ。公園へつれていってもらえるのは、兄ちゃんたちが学校へいっている間の午前中と決まってた。父さんの宿敵は、ひとりっ子だった。公園に来るのは、あいつのオフクロさんが夕飯の買い物へいく午後だったらしい。それが、ある日、公園で鉢合《はちあ》わせしたんだ。あいつのほうが、午前中の公園にあらわれた。おれのことも、あいつのことも知っているほかの親子は、どうなることかと、かたずを飲んでおれたちを見ていたんだそうだ」

「どうしてさ?」

弟がきいた。

「おれは、午前中の公園の番長だったたし、あいつは、午後の公園の番長だったからさ」

「えーっ、番はってたの？　だって、学校へいく前でしょ」

なりゆきを見てるだけのつもりだったのに、思わず、わたしは口を出していた。

「学校どころか、幼稚園にもまだかよってなかったさ。でも、父さんは身体も大きかったし、兄ちゃんたちがいるせいで、けんか慣れしてた。強かったんだ。いや、強いってわけじゃないか。負けなかったっていったほうがいいな。どうしたら負けないか、よく知ってた。ぜったいに、あきらめないんだ。たたかれても、けられても、くいついたらはなれない。兄ちゃんたちだって、おれより大きなほかの子たちだって、父さんのねばりには、ねをあげたもんだ」

「ふーん、あきらめないことか」

宮田くんに負けたばかりの弟がうなった。

「今の父さんからは、想像もつかない」

わたしがそういうと、弟もうなずいて、にやりとした。いつもねむそうで、風呂あがりのトドみたいな父が、いくら小さいころとはいえ、けんか慣れした子どもだったなんて、思いもよらない。

「そりゃ、小さいころから太めは太めだったさ。でも、がっちりした体格だった。いつも兄ちゃんたちのお下がりを着せられて、日に焼けて真っ黒で、手足に傷はたえないし、頭なんてこぶだらけだった。でも、あいつはちがってた。色白で、いつもおろしたてみたいな服装をしてた。ソックスなんて真っ白にかがやいてた。そんな外見だったから、公園ではじめて会ったときも、おれは、あいつのことなんて気にもかけなかった。まあ、おれにさからいさえしなければ、どんなやつもカボチャが遊んでいるぐらいにしか思っていなかった。おれは、その日、さあ、ブランコにのるぞとばかりかけだした。さきにブランコにのっていたやつは、おれがかけだしたのを見たとたん、ブランコからとびおりてた」

「よっぽど、こわがられてたんだ」

弟は、尊敬のまなざしで父を見た。

「待て待て、あいつは、もっとすごかったんだから」

父は、まじめな顔で首をふった。

「おれがブランコをひとこぎしたときだ。あいつが横に立ってた。おれは、あいつのことなんか、眼中になかった。そのとき、公園じゅうの視線は、おれたちに集中していたらしい。砂場にいたやつも、すべり台にいたやつも、ベンチでおしゃべりしてた母親たちも、ブランコのほうを見てた。あいつは、それまで、ブランコに近寄っただけで、ブランコをよこどりしていたらしい。でも、おれがゆずるはずがない。おれは、あいつを無視してた。そうしたら、あいつはどうしたと思う。あいつは、ブランコの鎖をつかんだんだ」

「えーっ！」

弟もわたしも、悲鳴をあげた。

「なっ、びっくりするだろ。ブランコをこいでて、鎖をつかまれてみろ。ブランコから落っこちて、いやっていうほどおしりを地面に打ちつける。おれが公園で泣いたのは、あのときだけだ。おれはおしりを打って、返ってきたブランコにガンとやられたんだ。オフクロは、ほかの母親が、『あらー、コブラちゃんでも泣くのね』

といったのを聞いたそうだ。おれは、こぶだらけの頭のおかげで、団地ではコブラちゃんってよばれていたらしい。あだ名どおり、おれはまた、大きなこぶをつくったわけだ。それからだ。あいつが、マングースってよばれだしたのは」

「コブラ対マングースか」

「それで、宿敵なんだ」

「父さんは、おもしろくなかった」

「どうして？」

「コブラとマングースが戦ってみろ。かならずマングースが勝つんだ」

父は、今でもくやしそうだ。弟とわたしは笑いだした。

「おれと宮田みたいだよね。でも、おれと宮田は、勝ったり負けたりだよ」

「それでいいのさ。いつも負けるっていうのは、くやしいもんだぞ」

「やだ。父さん、マングースに、負けっぱなしだったの？」

わたしがそうきくと、父は、めんぼくなげにうなずいてみせた。

「人前で泣かされたのは、あれがはじめてだったからな。それ以来、あいつがどうにも苦手になった。団地の中で会っても、知らんぷりしてた。あいつは、ほんとうに知らんぷりさ。あいつは、おれを泣かせたほうだったからな。勝てる相手を気にするやつはいない。どうしても勝てないから気になるんだ。でも、知らんぷりばかりできないときもあった。かぜをひいたときにいく病院がいっしょだった。そこでも父さん、注射がこわくて泣いたとこを、あいつに見られたんだ」

「父さん、病院、大きらいだもんなあ」

「二度も泣くとこ見られたら、ダメージ大きいわよね」

弟もわたしも、ため息をついた。小さいころの父に肩入れしすぎて、マングースがにくたらしくなっていた。

「そういえば、一回だけ、勝てそうなときがあった。おれが幼稚園の年中組になった年だ。あいつは、年少のヒヨコ組に入園してきた。夏になって、はじめてプール遊びがあった日だ。大きなビニールプールを出してもらって、みんなプールへむらがってた。なのに、あいつだけはなれて立ってる。先生が手を引いてくれてるのに、しりごみしてるんだ。おれはうれしかったね。こんどこそ、勝てそうだったからだ。『やーい、弱虫!』って、はやしたてながら水をかけてやった。あいつの生《なま》っ白《ちろ》い顔がさっと赤くなった。あいつは、ヒヨコ組を牛耳《ぎゅうじ》ってたからな。弱虫なんてよばれたら、あとで、組のやつらにしめしがつかなかったんだろう」

父がそういうと、弟は、大きくうなずいた。宮田くんとのけんかは、クラスの仲間の手前っていうのがよくあるからだ。

「あいつは、先生の手をふりほどくと、おれに近寄ってきた。おれが『やんのか!』っていったとたん、おれの目の前が真っ暗になった。そして、息ができなくなってしまったんだ」

「なにがあったんだ?」

弟が目をまるくしている。

「あいつは、だれかが遊んでいたバケツを、おれの頭にかぶせたんだ。中に水がなみなみと入っていたのにだ」

わたしは、笑いころげてしまった。

「笑いごとじゃなかったぞ。おれは、悲鳴をあげてプールへたおれこんだ。せいぜい肩をこづかれる程度だと思っていた父さんが甘かった。プールからとびだして泣きながらあいつにつかみかかろうとしたが、おそかった。先生に抱きとめられてじたばたするだけだ。あげくに、父さんでも泣くんだということを、幼稚園じゅうに知られてしまった」

「父さん、くやしかったろう」

「ああ、くやしかったさ。いつか、仕返ししてやろう、いつか、あいつのこと泣かせてやろうと思ってたのに、父さんの家は引っ越ししてしまって、あいつに会う機会もなくなってたしな」

「それじゃ、父さん、マングースに泣かされっぱなしだったわけ」

「なさけないな、父さん。おれと宮田なんて、五分五分だぜ」

弟は、小鼻をふくらます。

「と思うだろ。ところが父さんは、マングースを泣かせたんだ」

「えーっ、いつ？　どこで？」

「引っ越して、会う機会もなかったって、いったじゃない」

「何年もたってからさ。そのころは、もう父さんもコブラじゃなくなってた。コブラっていうあだ名だったことも、父さん自身忘れてしまってた。そんなとき、偶然、あいつに会ったんだ。あいつは、父さんを『コブラちゃん』ってよんだし、父さんもマングースだってわかった。それから、何年かたって、マングースが泣いたんだ。父さんのとなりで、ウエディングドレスを着てな」

「えーっ！」

弟もわたしも、それしか言葉がなかった。

「ただいま」

玄関に声がした。マングースの声。

「あら、お父さん、帰ってるの。この前たのんだ書類、忘れないで持ってきてくれた？」

父は、しまったと肩をすくめた。

わたしが見たところ、父は、今でも、コブラのままだ。

照らされるような読書

井辻朱美

童話といわれるものには二種類あると思う。

ひとつは、これは「詩」ですね、と言えるもの、もうひとつは、これは「実話」ですね、と言えるようなものだ。

「詩」と「実話」の区別は、短いか長いか、妖精や怪物が出てくるかこないか、現実にそんな場所ないし事件があるかどうか、とは関係がない。

言ってみれば――

たとえば『ピーター・パンとウェンディ』(J・M・バリ)を「詩」だとすれば、『ホビットの冒険』(J・R・R・トールキン)は「実話」だ。

それはその物語が、どれだけ「ほんとうであろうとしているか」どうかで決まる。詩や寓話は、現実からたちのぼったエーテルのようなもので、普遍性はあるけれども、「ほんとうらしさ」はなく、「お話」であり「夢」である。これに対して、「実話」は、あくまで「これはほんとうにあったことだ」とがんばる姿勢である。

海賊や人魚やインディアンの同居しているピーター・パンのネバーランドが、ほんとうに、この現実と同じ堅固さで存在する、とはだれも思わないし、作者もそれを意図していない。けれども、ビルボの住むホビット村と中つ国の世界は、「ほんとう」として語られ、生活感にあふれ、地球上のどこかの地方のことのようだ。作者は委曲を尽くして、そのほんとうらしさを、現実と地続きの密度で語りだそうとしている。

柏葉幸子さんの作品を読むときに、わたしがいつも驚くのは、この両方の相を融通無碍《ゆうずうむげ》に行ききする作家がいるのだ、ということである。たとえばデビュー長編『霧のむこうのふしぎな町』（一九七五）は全体として、少女リナのひと夏の冒険という体裁をとった、ちょっぴり寓話的な「行きて帰りし物語」（別世界物語の古典的パターンで、現実から非現実に移行し、戻ってくるもの）だ。

しかし、ピエロの柄の傘や、色ちがいのつつじで埋まった生け垣、妙に詳しい本のタイトルなど、物のディテールに立ち止まろうとする姿勢や、「ふしぎな町」の個々の住人の顔や口ぐせの活写を含めて、「詩」ではなく、「実話」に近づこうとしている傾きは明らかだった。そのあたりの手応えが、講談社児童文学新人賞受賞につながったのだろう。全体はファンタジーなのに、立原えりかさんや安房直子さんのような「詩」系の「童話作家」に比べると、物質的な手触りと、主人公の肉体の存在感がありすぎる。

それから柏葉さんは魔女や妖精や、貴族の幽霊や美術館の出てくる英国ファンタジーふうのお洒落な作品と、温泉郷や坂の多い町なみを舞台にして日本の伝承をほっこりと素材にとりいれた作品を、どちらも着実なペースで発表してゆく。そのなかで、わたしたちの憧れに近い前者のほうに主に「実話」感が、身近な土地に根ざした後者のほうに主に「詩」感がわりふられているのも、巧みな計算だという気がする。

だが、わたしがとりわけ驚いたのは『ドードー鳥の小間使い』(一九九七)だ。この作品では、滅亡したおかしな鳥、ドードーの剥製《はくせい》がよみがえり、人間の一家を巻きこんで、恋人のドードー鳥を探しだそうとする。

しかし、恋人をよみがえらせるには、その骨と肉と血と羽根を手に入れなければならない。魔法だなんて説明されているが、これはもう「詩」のレベルではなく、「実話」をも超えて『フランケンシュタイン』(M・シェリー)のレベル、生物のなまなましさの領域でしかなく、生物学科の出身であるわたしは熱狂しながら、「破れたセロハン紙につつまれた黒っぽい燻製《くんせい》」になっていた、ドードー鳥の運命のドキュメンタリを読んだ。

「ここまでベタに現実でいいのか」「いや、しかし魔法だというあたりは『詩』だし、鳥にこきつかわれる一家は児童文学のお約束のコメディなんだが」というわけのわからない疑問が頭の中で交錯し、柏葉さんの作品のあなどれなさに、以降釘《くぎ》づけになった。

やっと本題に入るが、本書『ミラクル・ファミリー』は、柏葉さんの短編集の中でも、この二つの相をきわめてはっきり見せてくれる本だ。テーマは、ふだん子供にとって、ややとっつきにくい感のある、中年の「お父さん」。でも童話なんだから、たぶん、ほのぼのなんだろう、と「詩」系の先入観をもって読みはじめる人が多いと思う。

そして、たしかに「詩」に分類される「春に会う」のような作品もある。

また、夢想家だったり、こっけいだったりするお父さんが、子供に向かってみずからを語るタイプの作品が多く、いずれも昔話がオチになっているのも、ノスタルジックな「詩」の余韻《よいん》を残すものだ。「ミラクル・ファミリー」とはけっきょく、ひとつまみの「ミラクル」（「詩」）で、しあわせにまとまっている家族の話といえなくもない。

けれど、それだけではすまされないなまなましさも、あちこちパッチワークのように顔を出している。その手触りが「お話」でない、のっぴきならない「ほんとうらしさ」となって、いつまでも心にざらざらとひっかかる。

たぶん一番「実話」風味が強いのが「鏡よ、鏡……」だろう。かなり過酷な状況が「白雪姫」の「詩」にくるまれつつも、その布地ごしに、現実のちくちくする手触りが透けて見えてくる。しかも、この「詩」をまぶしたこと、そのまぶしかげんが、柏葉童話を甘くするのではなく、身もふたもなく父子家庭を描いたリアリズムの作品よりも、いっそう重くしているのである。

同じことは「『信用堂』の信用」「ザクロの木の下で」にも言える。救われているのに、痛い。痛いのに、あたたかく救われている。

ここで、さらに回り道をして、もうひとつ、先走りして言っておきたいことがある。柏葉幸子さんのごく近年の作品の魅力は、「詩」と「実話」、この二つの相を文学的にまぜあわせる、というよりも、それを統合する心理学的・哲学的な領域を見出《みい》だしはじめたところにある、と思う。

心の中にある「詩」が、一見関係なさそうな「実話」を意識下で動かし、両者が表裏一体に癒着《ゆちゃく》している、その絶妙なツボをぐいっと探りあてて押すのである。

幼年童話『うたちゃんちのマカ』（二〇〇七）を読んでみてほしい。

短いので、ネタばれすれすれになってしまうが、目に見えないペットという「想像上のお友だち」を扱いながら、最後に作者ならではの、絶妙なひねりわざを見せてくれる。あっ、と読者は膝を打ち、そこで得た、目からウロコの洞察は、すぐ自分や自分の家族にあたたかくはねかえってゆく。

それは「すごく深いことを知ってしまった」という余韻と、大きなお祭りに出たあとの心の高揚としびれにも似た感じをともなう。そして——何かが抜け落ちたように、軽くなれるのだ。

最新作『つづきの図書館』（二〇一〇）では、読者が「あの本のつづき」を探すのではなく、登場人物のほうが「あの読者の人生のつづき」を探しはじめる。本と人生。二つはあわせ鏡となり、読者はいつのまにか、自分という本の外側に押し出されている自分に気づくだろう。ジェラール・ド・ネルヴァルが『オーレリア』で示したものが、鮮やかに、薄い童話の中によみがえる。

ここでも何かが抜けたような、つきものが落ちたような、「わかっちゃった……」感じがわたしたちを襲う。

そして、それの最初の芽は、『ミラクル・ファミリー』の中では、一番ユーモラスで人気のあるだろう「父さんのお助け神さん」に見られるのだ。

子供のころから、けんめいに願えば必ず助けてくれる「お助け神さん」を持っていたんだ、と打ち明けるお父さん。その、こまごまとした「実話」エピソードの数々。

え？　しばし耳を傾けたあとで、あれ、そうだった、わたしたちも持っていたじゃないか、と読者は思い出す。「神さん」とのおかしくも姑息《こそく》な取引きを含め、こんな重大な秘密を、天啓のように、ぽん、と言いあてられる。そうだ、これは「ほんとう」にあったことだった、という深い胸さわぎ。

それは「詩」であるとともに「実話」でもあり、どちらをも包含している領域の真実、つまり「ほんとうにほんとう」であって、「洞察を得た」「知った」「思い出した」という照らされる《イリュミネイテド》ような読書体験をもたらしてくれる。

説明無用で、心の中にともされる悟り、と言ってもいい。

そしてこれは、童話のかたちだからこそなしうる、何ものかでもあるのかもしれない。

ここでも最後に、笑いに溶けてゆくようなひとひねりが入る。わたしたちを本の外の現実へ、つつがなくランディングさせてくれる、そういう笑いだ。だが、ランディングしたさきが、そのまま新しい本の中になっていることを、だれが知る。

そんなだから、柏葉作品は、これからもますます目が離せない。

（歌人・翻訳家・白百合女子大学教授）

本書は一九九七年五月、小社より単行本として刊行されました。

|著者| 柏葉幸子　1953年岩手県生まれ。『霧のむこうのふしぎな町』（講談社文庫）で第15回講談社児童文学新人賞、第9回日本児童文学者協会新人賞、本書で第45回産経児童出版文化賞フジテレビ賞、『牡丹さんの不思議な毎日』（あかね書房）で第54回産経児童出版文化賞大賞をそれぞれ受賞。他の著書に『地下室からのふしぎな旅』『天井うらのふしぎな友だち』『ふしぎなおばあちゃん×12』『かくれ家は空の上』『魔女モティ　とねりこ屋のコラル』『つづきの図書館』（以上講談社）、『ラ・モネッタちゃんはあきらめない』（「ラ・モネッタちゃん」シリーズ、偕成社）、「モンスター・ホテル」シリーズ（小峰書店）など多数。

ミラクル・ファミリー

柏葉幸子《かしわばさちこ》

© Sachiko Kashiwaba 2010

2010年6月15日第1刷発行
2019年6月18日第5刷発行

発行者──渡瀬昌彦
発行所──株式会社　講談社
東京都文京区音羽2-12-21　〒112-8001
電話　出版（03）5395-3510
　　　販売（03）5395-5817
　　　業務（03）5395-3615

講談社文庫
定価はカバーに
表示してあります

デザイン─菊地信義
本文データ制作─講談社デジタル製作
印刷───豊国印刷株式会社
製本───株式会社国宝社

Printed in Japan

落丁本・乱丁本は購入書店名を明記のうえ、小社業務あてにお送りください。送料は小社負担にてお取替えします。なお、この本の内容についてのお問い合わせは講談社文庫あてにお願いいたします。
本書のコピー、スキャン、デジタル化等の無断複製は著作権法上での例外を除き禁じられています。本書を代行業者等の第三者に依頼してスキャンやデジタル化することはたとえ個人や家庭内の利用でも著作権法違反です。

ISBN978-4-06-276669-2

講談社文庫刊行の辞

二十一世紀の到来を目睫に望みながら、われわれはいま、人類史上かつて例を見ない巨大な転換期をむかえようとしている。

世界も、日本も、激動の予兆に対する期待とおののきを内に蔵して、未知の時代に歩み入ろうとしている。このときにあたり、創業の人野間清治の「ナショナル・エデュケイター」への志を現代に甦らせようと意図して、われわれはここに古今の文芸作品はいうまでもなく、ひろく人文・社会・自然の諸科学から東西の名著を網羅する、新しい綜合文庫の発刊を決意した。

激動の転換期はまた断絶の時代である。われわれは戦後二十五年間の出版文化のありかたへの深い反省をこめて、この断絶の時代にあえて人間的な持続を求めようとする。いたずらに浮薄な商業主義のあだ花を追い求めることなく、長期にわたって良書に生命をあたえようとつとめるところにしか、今後の出版文化の真の繁栄はあり得ないと信じるからである。

同時にわれわれはこの綜合文庫の刊行を通じて、人文・社会・自然の諸科学が、結局人間の学にほかならないことを立証しようと願っている。かつて知識とは、「汝自身を知る」ことにつきていた。現代社会の瑣末な情報の氾濫のなかから、力強い知識の源泉を掘り起し、技術文明のただなかに、生きた人間の姿を復活させること。それこそわれわれの切なる希求である。

われわれは権威に盲従せず、俗流に媚びることなく、渾然一体となって日本の「草の根」をかたちづくる若く新しい世代の人々に、心をこめてこの新しい綜合文庫をおくり届けたい。それは知識の泉であるとともに感受性のふるさとであり、もっとも有機的に組織され、社会に開かれた万人のための大学をめざしている。大方の支援と協力を衷心より切望してやまない。

一九七一年七月

野間省一